JN071965

思考からの逃走

岡嶋裕史
Yushi Okajima

ESCAPE FROM THOUGHT

日本経済新聞出版

まえがき

「ＡＩの社会への浸透が進んでいます」

　このフレーズを読んで、詳しい方ほど「本当かなあ?」と眉に唾をつけたと思う。ＡＩなんておいそれと実現できるものではないからだ。

　実際、ひどい「ＡＩ」もある。私の研究室に置いてある扇風機は、扇風機が自称するところによればＡＩ内蔵なのだが、強・中・弱の風速管理と首振り管理をしているだけにしか見えない。機械学習やディープラーニングを駆使しなくても、実現可能だろう。

　もちろん、強いＡＩ、弱いＡＩなどの議論もあり、いまいわれている「ＡＩ」は過去に喧伝された人間の置き換えや対等な存在としての人工知能とは様相を異にするものだ。そもそもの定義や到達地点が変わってしまったのだから、「ＡＩ」に関する言説は注意深く取り扱わなければならない。

　でも、それをさっ引いて考えても、やっぱりＡＩの普及は恐ろしいくらい急速に進んでいると思う。有益だからだ。

　私たちは情報システムによる自動翻訳を、ちょっと小馬鹿にしてきた。いかにも機械っぽい、ろくでもない翻訳結果を出力してくるからだ。

文字の自動識別プログラムも軽んじてきた。それが数字の8とアルファベットのBをよく取り違えることを知っていたからだ。

適職判定システムは、占いくらいにしか思っていなかった。私は就職活動の時期に、「あなたは哲学者に向いている」と高らかに託宣された経験があるのだが、何をどう解釈しても向いていない職業の一つではないかと思う。

しかし、ある時期を境に、一度は人を失望させたこれらのしくみが、異常に精度を上げてきたのである。

自動翻訳はかなりまともな対訳を吐き出すようになった。海外旅行でちょっと道を尋ねるくらいなら、語学力もポケット辞書も不要なくらいだ。海外からの迷惑メールは、稚拙な日本語で見るも無惨な代物だったが、自動翻訳の精度が上がって騙される人が増えた。

文字認識や発話認識、画像認識は天の高みにまで駆け上がった。いまやＡＩは山に慣れた人さえ間違えることがあるといわれるシイタケとツキヨタケを弁別し、画像診断において医師と同等の精度で癌細胞を発見する。

連続稼働できる時間や、疲労を知らない点を考慮すれば、ある視点では人間を越えたといっても過言ではないだろう。

やはり、AI、AIと世間が騒がしいのには、裏打ちされた理由があるのだ。すごいからこそ、期待され、口の端にのぼり。すごいからこそ真似をされ、とんでもなく微妙な、名ばかりAIのサービスが人をがっかりさせる。

私たちはこの狂騒に巻き込まれ、いつしか「AIが人間を超えて、この世界の主たる存在になるのはいつだろう」、「AIに仕事を奪われ、職を失ってしまうのではないか」といったことばかりを気にし、話題にするようになった。

当然、これらは気になる事柄だ。それを成さしめている要素技術にも興味がわく。だが、いま喫緊に思考を巡らせ、議論しておかなければならないのは、ひょっとしたら別のことなのではないだろうか。

先ほどの例でいえば、適職判定AIはかなりの精度で「辞めないですむ就職先」を当てられるようになってきている。私の勤める大学では、学生は正解の確認や答え合わせが好きなようで、就職先が本当にそこで良いかの点検や時には就職先を決めてもらうために研究室を訪れるが、もうその視線の先はAIに向かっている。

これを、「微笑ましいなあ、自分で決めるのが不安なんだろうなあ」、「そこまでして失敗がないように対策しなきゃいけないのか、せちがらい世の中でかわいそうだなあ」と見るのは簡単だ。

でも、この根底にはもっと大きな問題が暗渠のように伏流していると思うのだ。ＡＩの判断が頼りになるものになった結果、特に物心ついた頃からＡＩに触れてきた世代にとって、ＡＩに判断を委ねることはごく当たり前のことになった。

それを主体性がないと責めるのは、きっと筋違いだろう。自分より優れたものがあれば、それに仕事を委譲してきた、外部化してきたのが人間の歴史だ。それゆえに、人類の社会はこれだけ発展してきたといえる。

力仕事を重機に任せたり、記憶に筆記具を活用したりすることを良しとせず、「そんなのは堕落だから、すべて自分の腕一本で生きていくんだ」などとやっていたら、いまでも人間は旧石器時代のような暮らしをしていたことだろう。使えるものは何でも利用するのが自然で、効率的だ。

まして、失敗に厳しい社会のありようや経済的な余裕のなさにさらされている年代であれば、失敗しない助言者としてのＡＩはとても頼もしく見えるだろう。

だが、「ＡＩに判断を任せる」のは、これまで繰り返してきた外部化、たとえば走る力の外部化（自動車）や覚えておく力の外部化（メモやストレージ）とは位相が異なる。それは、人間の核心的な能力である思考の外部化だ。

行き過ぎたアウトソーシングによってコアコンピタンス（中核競争力）を失った企業が迷走し、やがて衰えていくように、ある瞬間を切り取っていくら効率的・合理的に見えたとしても、自らの核になるべき力を手放してしまったら、やはり人の力も衰退し、その存在意義さえ失ってしまうのではないか。そう憂慮している。

本書では、ＡＩに判断や決心を託すことに躊躇がない学生の事例を皮切りに、外部化を重ねると何が起こるのか、ＡＩを提供する企業は何を企てているのか、社会のＡＩ化で到来するといわれている監視社会は実際には何が悪いのか、私たちに残された選択肢は何か、といった主題について述べていく。「考えを手放すこと」について、考えていきたい。

目次

2

第2章

能力の外部化の果てに何があるのか
——記憶、決定、体験

3

第3章

企業が主導する「倫理」

――誰のためのシステムか？

マーケティング用語としての「AI」／強いAI、弱いAI／中国語の部屋
チューリングテスト／AIブームの変遷／第1次ブームと探索
第2次ブームとエキスパートシステム／専門家の知識を明文化できるか
子どもに教えるより難しい／第3次ブームと機械学習／「お手本」の有無
脳神経細胞を模倣した学習モデル／そして手に負えなくなった
AIに不可能はないのか／差別するAI
答えのない問題に答えを与えるということ／橋問題とバイク問題
自動運転車が優先すべき命／フィクションからAIの判断基準を考える
無人兵器の悪夢／AI対AIの戦いが始まっている
やさしい嘘はいらないのか／人間中心のAI社会原則
罰せられるのは誰か／人の判断、機械の判断／定義できないものの実装

……

4

第4章

みんなが怖がる監視社会は本当に怖いのか

『1984』に学ぶ監視社会／ベンサムのパノプティコン
見えない監視者／スマホは理想の監視装置
監視されるメリット／広告モデルと情報の価値
GAFAMから逃げられない／紳士的な監視の時代
SNSがもたらした相互監視／善意の監視網ができあがるまで
「正しい行動」の圧力／正義の信用スコア
権力の非人称化／投票ではなくレビューで変える
是正という補助線

5

ESCAPE
FROM
THOUGHT

1

第1章

意思決定を放棄する私たち

——なぜ自分で決めないのか？

人間が奴隷になることが、
過去の危険だった。
未来の危険は、
人間がロボットとなるかも
しれないことである。

エーリッヒ・フロム

失敗の練習場は失われた

「就職先を決めてください」と、よく学生に問われた一時期がある。

そのたびに、就職先は自分で決めようよ、と学生を諭した。人に決めてもらった就職先で仕事が楽しめるとは思わなかったし、うまくいかなかったときに、「先生の判断が間違っていたからだ」と逃げ道が用意されているのもよくないだろう。

これは別に、いまの学生さんに主体性が足りないとか、覇気がないなどと批判したいわけではない。単に事実としてそういう傾向があるということだ。

そして、それには仕方がない面があるとも思っている。彼らはあまり失敗が許されない環境で育ってきた。いまの教育は、児童や生徒に挫折させることを良しとしていない。

実際、自分の経験を鑑みても、無駄な挫折や強度の強すぎる挫折なんてないほうがいいと思う。私がひねくれているのは、本来しなくてよさそうな挫折の落とし穴を踏み抜きすぎたからだ。子どもがあまり手ひどい挫折を経験しなくて済むように、先回りしてあげることには一定の合理性がある。

SNS[*1-1]の台頭も、これを強固にする。

以前は、挫折や失敗を経験するサンドボックス[*1-2]は、そこかしこに用意されていた。かなりはっちゃけた悪いことをしてしまったとき、まずは家庭の親父や、地域のおじさん、おばさん、青年団のあんちゃんなど、そうした人々にぶん殴られたり、ひっぱたかれたりして、それで手打ちになったりした。

親父もおじさんもあんちゃんも怖かったけれども、家庭や地域やコミュニティが緩衝材の役割を果たして、何かをしでかしても、いきなり警察のお世話になるような事態に発展させない機構が構築されていた。ある意味で、一度や二度の失敗が経験できる練習場があったのだ。

時代が下って、家族の紐帯は希薄になり、コミュニティは崩壊した。個人主義も台頭

［＊1-1］Social Networking Serviceのこと。会員制で、人と人とを結びつけ、コミュニケーションを促進するサービスと説明されることが多い。しかし、現実には同種、同属性の人でクラスタが形成される、「つながる」よりも「囲い込む」に近い構造である。同質化された小集団で、自己の発言やアクションに「いいね！」などのリアクションが返されることは、そのサービスへの帰属性を高め、結果的に滞留時間を長くする。その長い滞留時間で広告に触れさせることがSNSの基本的なビジネスモデルである。同属性の小集団の中で意見がやり取りされるうちに、極端になっていったり（エコーチェンバー現象）、他の類似クラスタへは伝播し、非類似クラスタとは反発し排除する（サイバーカスケード）傾向を持つといわれているが、SNSが意見を中和しバランスを取っているという意見もあり、結論を得るには至っていない。

［＊1-2］砂場のこと。『人生に必要な知恵はすべて幼稚園の砂場で学んだ』（ロバート・フルガム）に見られるように、練習場の意味で使われる。そこから転じて、セキュリティやソフトウェア開発の現場では、安全に色々試せる隔離された環境のこと。マルウェアの疑いがあるソフトウェアを動かして、挙動を試すなどの実験が行える。

して、仮におせっかいなおじさんが生き残っていたとしても、もう、ちょっと道を踏み外しかけた子どもをひっぱたいたりするようなことはできなくなった。それ自体が重大な人権侵害であって、すぐに通報事案になってしまうだろう。

誤解のないように記しておくが、昔がよかったと言いたいわけではない。その日の気分で叩いたり叩かなかったりするようなおじさんには、できれば遭遇しないほうがいい。いくら失敗の練習ができるよ、と言われようが、地域による私的な訓告などリンチと紙一重である。

でも、失敗を練習し、修正してもらう機会を持たないままエスカレートすると、そのうち警察のご厄介になることがあるかもしれない。身近にいる両親、家族は、彼らが仕事に忙殺され、いちいち失敗につきあってあげる時間を捻出するのが難しくなったこともあり、いきおい失敗をさせないような指導をすることになる。

とどめをさすのがＳＮＳだ。これまで、子どもがちょっとした失敗をしたとき、最初に気付くのはまず家族であり、地域社会であった。しかし、家族の数は減り、仕事に時間を割かれ、それに気付く機会も減少している。

家庭や地域によって十重二十重に守られていた子どもは、ＳＮＳを使えばそうした緩衝材を抜きにしていきなり世界と直結することができる。そして、SNSに投稿された情報は、家族や地域とは別の、足の長い情報経路によって、世界へと拡散される。子どもの悪事を両親は知らなくても世界は知っていて、隣家の耳に入るよりも早くBBCやCNNが報道しているかもしれない。

可視化システムと二律背反

世間も、失敗に対して否定的である。インターネットやSNSによって、社会は可視化された。それは基本的にはいいことだと思われていて、実際に透明になったことで無駄や不正は減っているだろう。

しかし、この可視化システムは、他人がうまくやっていることも、自分が冴えていないことも同時につまびらかにしてしまう。自分が損をしていることを、目の前に突きつけられるほど腹立たしい瞬間もない。結果として、誰かが不正に得をしていないか、悪いことをしたのに罰を受けずに過ごしていないか、過剰に他人を監視する動機が醸成されていく。

そして、SNSにはそうした行動の痕跡が刻まれ、本人が確実にはコントロールし得ない状態で残り続けるのである。
こうした社会に対峙するためには、成功することよりも、失敗をしないことのほうがずっと肝要である。だから、大事な子どもたちに、両親も学校も、失敗をしないように促し、指導する。それは、保育園や幼稚園の段階ですでにスタートし、小学校、中学校、高校と、連綿と続くメッセージとして児童、生徒に刻まれる。

この斥力は本当に強い。近年、主体的な学び（アクティブラーニング[*1-3]）やイノベーションを起こす力を醸成する学びが重要視されているが、それを言われる学生の二律背反を思うと気の毒に思うほどだ。

失敗しないためには主体性など持たないほうがいいし、イノベーションは試行錯誤と繰り返した失敗の先にある事象である。だから、学生に主体性がないのも、イノベーティブでないのも、彼らが社会から受け取ったメッセージに真摯に応えた結果であって、資質に問題があったり、能力開発に手を抜いたりした結果ではないと思う。

そうして積み上げてきた、「失敗をしないこと」の学生期としての総仕上げが就職活動である。

就職活動という発表会

繰り返すが、彼らは真面目で真摯だ。失敗するな、という教育に応え続けた彼らは、就職活動でも失敗をしないように最善を尽くす。この場合の失敗とは、短年度離職であったり、ブラック企業への就職であったり、やりがいのない業務へのアサインだったりだ。

また、厳しい経済環境のもと、両親が少なくない金額を投資して自分を学校に行かせてくれたことも、周囲が思う以上に重く受け止めている。その成果を見せる大きめの舞台としての就職は、まさに投資家の信託に応える発表会の趣を呈している。多重の意味で、彼らに失敗は許されないのだ。

そして、就職活動もまた可視化されている。

一昔、二昔前であれば、就職活動を行える日は極めて限られていた。何社も受けられ

［＊1-3］主体的な学び、対話的な学びのこと。教育現場における近年の流行。といっても決して新しい概念ではなく、主体的に学んだほうが学習効果が高いので、各種学校は常に主体的な学びを促してはきた。負のイメージが強い「ゆとり教育」も、基本的な狙いは詰め込みではない、主体的な学びの促進である。現時点では、そのための手法が反転授業や問題解決学習になっていて、そこにアクティブラーニングというラベルがつけられている。

るようなものではなく、また会社の情報もさほど公開されていなかった。みんなが本当にその職業が自分に向いているかどうかもわからず、えいやと受けにいくような側面があった。そうするしかないのである。

でも、いまの就職活動はとてもオープンだ。エントリーもＷｅｂフォーム化され、何社でも何度でも受けることができる。出願するだけなら、無限といえるほどの選択肢があり、彼らはその中で最善の一つを選び出す義務感にとらわれて行動する。

自分にあった最善の一社を選択するための指標も大量にある。会社の情報は様々な切り口で数値化され、公開されるようになった。比較の対象にはこと欠かない。情報がなくて困るのではなく、文字通り情報の洪水の中で処理しきれないデータを見て、決断をしなければならない。

もともと選択肢が増えているところに、一つひとつに付随する情報が肥大化しているのだ。しかも、フィーリングや妥協によって会社を選ぶのではなく、自分の可能性を引き出し、人生の価値を最大限に高めるために、そのための手段としてオンリーワンの一社を選べと言われるのである。就職活動とはそんなにたいそうで、取り返しのつかないものだったか。学生が疲弊して、多くの情報と経験を蓄積しているであろう教員に判断を委ねてしまおうという気になるのも、自然なことである。

より良い模範解答を求めて

だが、この1～2年、そうした声を聞くことが少なくなった。学生が主体的になったから？　であればいいのだが、そうではなさそうだ。私が頼りないから？　それはあるかもしれない。

学生は相変わらず、就職活動に迷い、どの会社に行くべきかを、より良い決断をしてくれそうな他者に委ねたがっている。失敗をしないためには、模範解答を持っている他者に聞いてしまうのが一番効率がいいことは、これまでの人生で長い期間にわたって学んできたのだ。

単に教員よりも、もっと間違えなさそうな意思決定を委ねる相手を見つけたのがその原因である。その相手とは、ＡＩだ。

ＡＩの定義は後の章に譲る。広義のＡＩや狭義のＡＩ、強いＡＩ、弱いＡＩといった議論は重要ではあるけれど、それを使う一般的な利用者にはあまり問題ではない。ＡＩが頼りになりそうかどうか、自分の意思決定よりマシかどうかが最重要なのだ。

そして学生たちは、チェスでガルリ・カスパロフ[*114]が、将棋で清水市代[*115]や佐藤慎一[*116]、さらには時の名人である佐藤天彦[*117]がＡＩの前に敗れ去るのを見てきた。

電卓による単純計算などではなく、複雑で高度な知的活動の分野でも、人間の能力をＡＩが上回っていることを体感し、そうしたものが自分の周囲にふつうに存在するのを所与のこととして育ってきたのである。

自分より、優れているもの、正しい判断を下してくれるものが身近にあり、無償かそれに近い価格でアクセスできるのであれば、それを活用するのは自然で当たり前のことである。その決定に従えば、より良い学びや就労の環境、所得、やりがいを与えてくれるのであれば、利用する。

チャレンジは時間の浪費という態度

実際、ＡＩ（に限らず、情報システム）が正解を与えてくれる、という意識は強くなっているように感じられる。もともと日本人はリスクを回避する傾向が強いが、近年はリスクをゼロにできると考える学生も増えている。

これは、たとえばセキュリティの観点で言えば、正しくない。私たちが生き物で、極

ディープ・ブルー

IBMが開発したチェス用コンピュータ。1997年にガルリ・カスパロフを破った
©Science Photo Library/amanaimages

Ponanza

将棋ソフト。2017年に行われた電王戦の対局で
佐藤天彦名人に勝利した
©共同通信社/アマナイメージズ

めて複雑な社会や環境の中で生きている以上、私たちをとりまくのは不確実な事象・事物ばかりである。

その中でできるのは、せいぜいリスクを少しでも減らして、受容可能な水準以内に収めることだけである。リスクをゼロにはできないし、しようとも考えない方がいい。ゼロを目指せばコストばかりがかかって、効用は大きくならない。

当たり前のことではあるのだが、ＡＩに対する期待値が高まるにつれて、まるでリスクをゼロにできるかのような振る舞いや発言が増えた。コロナ禍での対応が端的だが、疾病などはどんなに気をつけていても罹患してしまうことがあり得る。

でも、無謬であれば罹患しないように思い込むので、罹患者を袋だたきにするような行動へ移行するのである。まるで世界のどこかに正解があって、ＡＩを使ってそこに迫りつつあるかのように考えるのだ。この態度は突き詰めれば、人生で正しい選択をし続ければ死なないかのような錯覚を生む。実際、不老長寿の研究にまたブームの兆しがあるが、こうした社会の雰囲気と無縁ではないだろう。

現実には世界はそのように便利にはできておらず、社会は間違いだらけで、どんなに気をつけて暮らしていても不意に命を落としてしまったりするのが人生だが、そうした考え方は彼らにとって受け入れがたいのだ。

正解はあらかじめ用意されていて、効率的にそこに至るのが正義であり、権利である。そのように考えるから、試行錯誤を伴うチャレンジは思考力の錬成ではなく、ただの時間の浪費や忌むべき失敗の連鎖として認識されるのである。

「あなたが就職・転職をする際に、自分に向いている企業を示してくれるＡＩがあったら使うか？」というアンケートを行った。有効回答数は４６９で、内訳は情報系の学部に通う学生が１５３人、それ以外の学生・社会人が３１６人である。全員が10代で、所属による回答傾向の差異はほとんど見られない。

アンケートの設問に注目して欲しい。[＊1-8] この問いかけでは、回答者にとってＡＩのスペックは不明である。ポンコツかもしれない。にもかかわらず回答者はＡＩを活用した

［＊1-4］ロシア出身のチェスプレイヤー。グランドマスター。世界チェス選手権チャンピオン。長く戴冠し、最強の名を欲しいままにした。

［＊1-5］女流棋士。女流七段。女流タイトルの全冠（当時）独占を成し遂げるなど、女流棋界最強と称された。

［＊1-6］棋士。五段。日本将棋連盟が公認した対局で、初めてソフトウェアに敗れた棋士となった。

［＊1-7］棋士。九段。第74期～第76期名人。

［＊1-8］２０２０年にＷｅｂリサーチシステムを用いて実施。有効回答数４６９。単一回答。

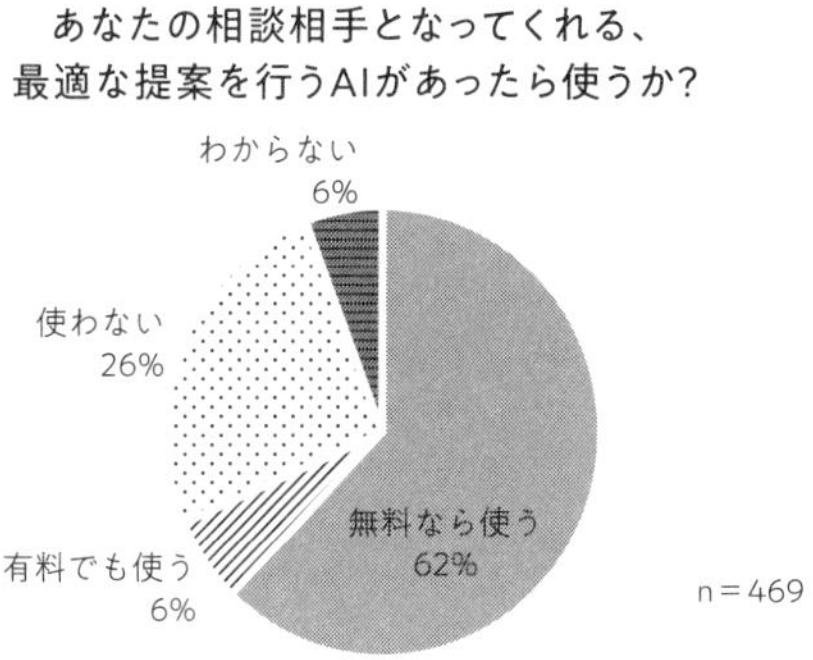
あなたの相談相手となってくれる、
最適な提案を行うAIがあったら使うか?
わからない
6%
使わない
26%
有料でも使う
6%
無料なら使う
62%
n＝469

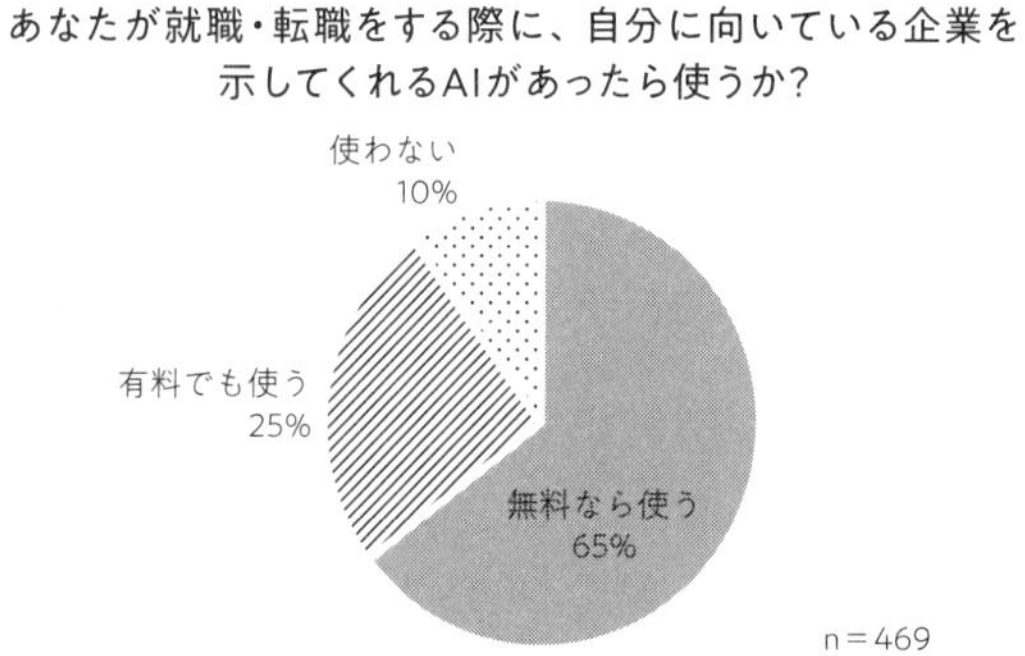
あなたが就職・転職をする際に、自分に向いている企業を
示してくれるAIがあったら使うか?
使わない
10%
有料でも使う
25%
無料なら使う
65%
n＝469

いという。学生のＡＩに対する期待値の高さを端的に示している。

一方で、ＡＩに否定的なクラスタが強固に存在していることも明らかだ。おおむね学生の9割は何らかの形でＡＩに就職先を相談したいと考えているが、たとえ無料であっても1割の学生はＡＩを使わないと回答している。サービスや製品に対する、学生の一般的な態度である「無料なら、取りあえず使ってみる」と対照を成している。

ＡＩに意思決定を委ねてしまえば、後からそれに不満が生じても、自分の決定の未熟さや稚拙さを後悔せずに済む。ＡＩの決定に文句を言ったり、嘆いたりするほうがずっと楽だ。そして何より、「失敗」をしなくて済む。見かけ上、失敗があったとしても、その失敗の主体は自分ではなく、誤った託宣を下したＡＩである。

失敗をさせたくない両親、教員、失敗したくない学生、失敗を許容しない／できない社会構造、これらの利害が一致して、意思決定をＡＩに委ねる駆動力は増大するだろう。

「それ、ネットにないんですけど」

目につくところで就活を例に話を進めたが、そうした兆候は様々な場所で表面化しつつある。交際や結婚の相手を探すのにＡＩを使ったマッチングサービス[*19]を利用することは、もう当たり前のことになっている。20代の女性に限って言えば、マッチングサービスの利用経験は27・5%にのぼり、認知率に至っては87・6%である。これは20～30代の男女についての調査だが、全体でも21・5%に利用経験がある。[*1-10]

リアルの、狭い交友範囲の中で、表面的に取り繕われた情報で交際相手を探すよりも、数百倍から数千倍といった母集団から、年収や性癖などあからさまな属性情報とむき出しの条件によってマッチングをしたほうが、確かに自分の希望に合致したスペックを保有する相手は見つけやすい。

調べものもそうだ。ネット上の笑い話として有名な、「それ、ネットにないんですけど」は現実の教育の現場でも見ることができる。

教員が学生に何か課題を出したり、問いかけたりしたときに、「それ、Google 先生に聞いてもありません」は、報道されているニュアンスとはちょっと違う。

これは「ネットで調べられないような面倒な問題を出すな」ではなくて、「解答がネットに存在していないのだから、出題が間違っている」という不信感が前提なのである。

先にも述べた個人主義の台頭や、それを導いた従来型の権威機構の解体と失墜など、説明のしかたは複数あるが、学生の場合は「単にAIや検索エンジンのほうが教員よりも信頼できる」のが最も大きな理由といえる。

確かに教員の商売は、「多くのことを知っている」ことに依存する側面があった。どんなに優秀な学生でも、生きている時間は教員にはかなわない。長く生きた時間を駆使して収集した知識で学生を圧倒することはどんな教員にもできた。だから、長く生きた人、先に生まれた人としての「先生」なのだ。

だが、もはや教員個人の知識量はWikipediaにかなわない。Wikipediaに情報の信憑性が足りないというのであれば、他の有償知識サービスでも構わない。そうした武装を施した学生に知識量で権威を訴えようとしても、もうその戦いに勝利することはない。

授業中にスマートフォンを使うことを嫌う大学も多かったが、近年では緩和の傾向にある。ノートをデジタルデータとして残すなどの活用方法が浸透したこともあるが、何より学生は教員のしゃべること、書くこと、示すことを検証している。

[＊1-9] 人、モノ、情報など、互いを検索してつなげるサービス。端的に想像できるところでは出会い系サイトなどだが、近年では業務発注者と受注者、車などの資源保有者と利用希望者など、接続する内容が多様化した。
[＊1-10] ネオマーケティング社「マッチングアプリについての調査」

かつて私が学生だったとき、授業を受けている最中に「おや？」と思った経験は何度もある。でも、それを授業中に問いただすのは大変に勇気のいることだった。しかし、Google 先生に聞くのであれば、いつでも実行可能だ。

個人的には、ただ無批判に教員の言うことを受け入れるよりは、疑問に思ったことを検証できる学生のほうがずっと健全で、伸びしろが大きいので、これはよいことだと思っている。だが、自分で考えて比較考量するのではなく、単に無批判に受け入れる情報が、教員が発するそれではなく、Google が発するものにすり替わっただけなのであれば、考える力はむしろ退行するかもしれない。

「ここだけの話」はもうできない

こうした環境で授業を実施することはなかなか厄介である。知識の貯蔵庫としての教員が役に立たないのであれば、わかりやすく伝えるとか、まだ文書化されていない最新の知見を示すことなどで価値を作っていかなければならない。大学の場合であれば、特に後者が求められるだろう。

しかし、まだ新しい知見は、公開できないものであることも多い。よく講演会などで出てくる「ここだけの話」である。そう断って話をしても、学生はＳＮＳで世界とつながっている。「ここだけの話」など、もう成立しようがないのだ。

口から出てしまった情報がTwitterで拡散されることは止められない。これだけ即時に何かをつぶやくことが当たり前になった世界で、学生に自制を求めるのも酷だろう。いまの社会はそういうデザインになっていない。何せ、超大国の指導者クラスが、割と無節操に情報を発信し続けているのだ。

だから、事故を起こさないためには、当たり障りのない、それこそ動画で見られるような話に終始することが正解になる。文部科学省も、事前に用意されたシラバスを逸脱した講義を行うことを嫌がる。これを繰り返すと、大学の授業は良くも悪くも録画した講義で学ぶ予備校的なものになっていく。

なぜ学生は思考を放棄したのか

学生がこうした行動様式をとるようになった転機は、曖昧である。多くの物事がそうであるように、いくつかの要因が複合してこの状況を作ったと考えるのが妥当だろう。

象徴的な出来事は、まず間違いなく作用している。人の知性の結晶で、未来永劫ＡＩ

に負けることはないと思われていたチェス、将棋、囲碁で、次々と世界のトッププレイヤーがAIの軍門に降ったことは、彼らの世代にとっても衝撃的だった。Google の描画AIは難解な抽象画を描き、ディープラーニング[*1-11]で調整された合成音声は曲調と視聴環境によっては人と聞き間違えるほどの精度になった。

Twittre の利用が一般化して、個人と世界が直接接続される社会になった。そんな中で表現欲はあり、それを発信するためのツールも使いこなせるけれども、下手な方法で発信するとバイトテロ[*1-12]などとカテゴライズされることもあり、国境すら越えて世界中から叩かれ、人生を棒に振る怖さも味わった。

こうした要素が組み合わさると、自分で考えるのが怖くなる。まして、自分より良い判断をしてくれるシステムがあるならば、それを利用するのはある意味で当然のことであるともいえる。レポートのいい雛形があれば、自分で苦労して書いた原稿がすでに存在していても、喜んでそちらに差し替えて提出するのと同じである。

スマートフォン（スマホ）の普及ももちろん無視できない。特に2008年のiPhoneの発売は決定的だった。それまでビジネスパーソンを中心に「おもちゃ」と揶揄する風潮もあったスマホは、iPhone が登場したことによって、持っていて恥ずかしくない機械になった。むしろ、持っていることがステータスになった。

スマホとパソコンは同根でありつつ似て非なるものだ。その決定的な違いは接触時間の長さにあるだろう。私も起きている時間のかなりの部分をキーボードを叩いて生きているが、それでも移動中や就寝中は自粛している。でも、スマホのヘビーユーザーは、風呂に入っているときも、ベッドでふとんにくるまっていても、スマホをいじり続ける。それは言葉を換えれば、四六時中スマホに助言を求められるということであり、途切れなくスマホが託宣する意思決定に従うことができることを表している。

改めてここで指摘するまでもなく、情報機器は社会システムの中に組み込まれ、その最重要な要素の一つとなった。情報システムと社会システムが等号で結ばれる瞬間が近づいていると言い換えてもいいだろう。社会を構成する要素として、情報端末と人が並

［＊1-11］深層学習。人の脳の構造からヒントを得たニューラルネットワークを用いる機械学習手法。ニューラルネットワークを多層化したもののうち、4層以上のものを特にこう呼称する。近年のAIの飛躍的な進歩の原動力の一つ。

［＊1-12］アルバイト従業員が暴言やいたずらを行い、その様子がたとえば動画サイトなどで公開されることで、店舗にダメージを与えること。アルバイト従業員に明確な悪意がない場合でも、テロと呼称するのが一般的。

メディア接触割合の変化

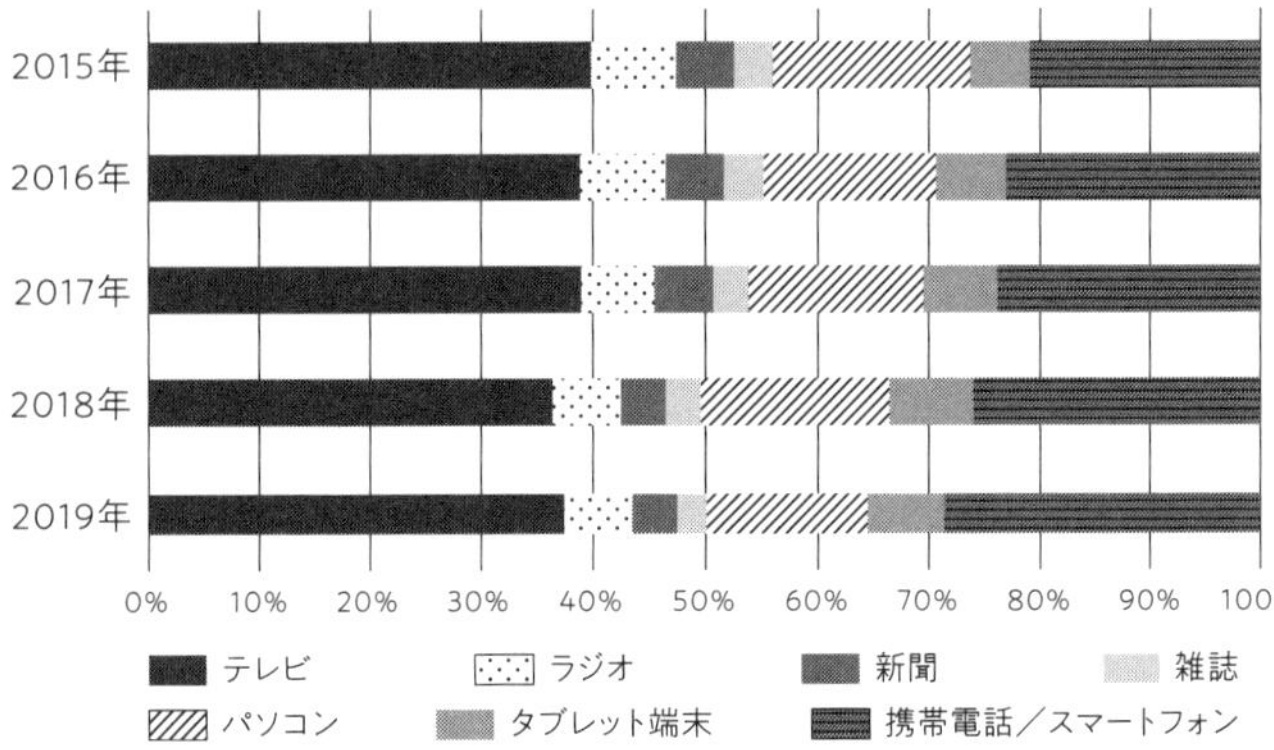

出典：博報堂DYメディアパートナーズ メディア環境研究所「メディア総接触時間」をもとに筆者作成
総接触時間は2015年から2019年の間に約30分増加している

置されるイメージである。

　もちろん、これは私たちにとって初めての経験ではない。人はこれまでも法治国家というシステムや経済機構の一要素だった。法やお金に振り回され、どちらが主でどちらが従なのかわからない目に遭うことも多い。今後はそこに情報システムも加わるということだ。上手に使いこなす人もいれば、システムに隷属するように生きる人も出てくるだろう。

　注意しなければならないのは、情報システムは法律や経済よりも機構としての網の目が細かい点だ。この網に囚われてしまう人にとっては、人とは常に情報を吐き出し続ける情報システムへの情報供給源であり、情報システムからの出力に対してリアクションする常時接続されたオブジェクトであるにすぎなくなる。

ＩＴは誰かをラクにしてきたけれど

悩ましいのは世界や社会の全体最適のためには、意思決定を放棄するほうが良い可能性が高いことである。

人の意思決定の射程はそんなに長くない。

わざわざよくない意思決定をしようという人は少ない。悪罵の対象になる（私もそれに加担しているが）、紙とハンコを使った非効率な業務手順や、もう自分の仕事は終わっているのに、上司が帰らないとなかなか帰りにくい社内慣行も、もとをただせば何らかの合理的な理由がある。それが誰かの権能を強化することだったり、誰かの雇用を守ることだったり、組織のビジョンや目標を達成することとはあまり関係がなさそうな理由であったとしても、何らかのロジックはあるのだ。

でも、そのロジックの正当性は、あまりにも狭い範囲にとどまることが多い。小さな正義の積み重ねは、大きな失敗につながることがある。会社の全体最適や、社会の全体最適といったまさにそういう分野だ。

大所高所に立てば、そうした慣行は正しくないと誰かが言っても、それは反発を招くだけだろう。自分の視野の範囲では、ハンコもサービス残業も正しいからだ。

しかし、人間の判断よりもＡＩの判断のほうが正しい、少なくとも間違いが少ないという認識が浸透し、意思決定をＡＩに任せるようになれば、そしてＡＩが「仕事が終わったらさっさと帰れ」「お前は在宅勤務でいい」と指示すれば、意外にそれはあっさり認められるかもしれない。

個人的には、無用の出社や無用の残業、無駄な会議を減らすしかけは、ＡＩによる意思決定が一番効果があるだろうと考えている。上司より先に帰れば、それがいかに理屈の上で正しくても、現実の日本社会では角が立つ。でも、ＡＩの指示なら、上司も文句を言いにくい。無駄な上に害があると言われて久しいＰＰＡＰ[*1-13]や、ＰＨＳ[*1-14]も、ＡＩの判断なら脱却できる人がいるだろう。

一方で、ここが救いがないのだが、私は人生の重要な意思決定をＡＩに指図されるような世の中は嫌だ。その理由は後の章で詳しく述べるが、一番嫌なものが、一番うまく社会を回しそうであることを認めざるを得ない社会がまもなく到来するだろう。

ＡＩを否定する態度が正しいと言っているわけではない。完全に一致するわけではないが、ＡＩを嫌だなと思う人は、ＡＩを信用していないのだ。だから、自分のことは自分で決めたくなる。それで自分の仕事が楽になったり減ったりしても、信用していないものは利用したくない。たとえば私は情報システムが好きだが、どうしてもその背後に誰かの影を見てしまう。

ハンコかデジタル署名か

ＡＩに任せたい派は、ＡＩへの信頼が厚い。躊躇なくＡＩの判断に従う。このように、機械にどこまで任せるか、の葛藤は常に繰り返されてきたので、真新しい話題ではない。

[＊1-13] Password付き暗号化ファイルを送る、Passwordを送る、Aん号化、Protocolの略語。セキュリティ対策の手順として、普及している。一見、ファイルを暗号化しているのでセキュアなようだが、1通目で暗号化ファイルを送り、2通目でその復号パスワードを送るのであれば、攻撃者は両方とも盗聴する可能性が高い。手間がかかるわりには実効が見込めない「アリバイ工作的なセキュリティ対策」「やったふり対策」の例として紹介されることが多い。

[＊1-14] Printして、Hanko押して、Scanして送信の略語。ＰＰＡＰと並んで、思考放棄的な業務手順の代表例。印影を本人確認の手段と考えているなら、スキャンしたデータで認証してよいか疑問である。また、伝達手段が電子化されているなら、認証部分も電子化されているべきで、この場合はハンコをデジタル署名に置き換えれば、印刷してそれをスキャンし直すような無駄をせずに済む。

ハンコが本人確認と切り離されて、儀式的な手順になってしまっている点に問題がある。本人確認ができるかどうか（本来の目的）はすでに問題ではなく、押印という儀式の挙行（本来は手段）が目的化する転倒が起こっている。

ただ、ＡＩの場合はその度合いが深く、広範囲にわたる点が違うということだ。
たとえば、筆者の好きだったＦ１[*1-15]では、１９９０年代に（当時の）ハイテクノロジーによるドライバーズアシスト[*1-16]が導入され、それに向き合う態度はドライバー間ではっきりと分かれた。トラクションコントロール[*1-17]を信じて、全速では曲がれないコーナーにフルスロットルで進入する者、トラクションコントロールがあってもアクセルを自分で煽ってしまう者などである。

最初のうちは、ドライバーズアシストを信用しない者のほうが安全に走行できていたように思う。こうしたハイテク装備の信頼性は、登場当初決して高くはなく、誤作動に起因した事故も多かったからである。

しかし、何シーズンかを過ごすうちに、テクノロジーを信じてアクセルコントロールを自動操縦系に任せてしまうドライバーのほうが好成績を残すことになった。あのアイルトン・セナの１９９４年の事故も、ローテクだったマクラーレンのマシンでトラクションコントロールされたマシンを深追いしすぎたことが遠因であるとまことしやかに囁かれた。

複雑な情報システムのどこまでを信じて、どこから先を信じないかは一様ではない。

知識によっても経験によっても異なる。

たとえば、デジタル署名[*1-18]を信用せずハンコにこだわるビジネスパーソンが、乗り換えを案内するアプリケーションを信じていたりする。若年層世代だって、無制限、無条件に情報システムを信頼しているわけではない。むしろ、サービスインしたばかりのアプリケーションなどに対する態度は、高齢者よりもよほど抑制的だ。

これは信頼する、こちらは信頼しないといった態度が、自分の好みも交えてモザイク状に入り乱れているのが現実で、その度合いが若年層は信頼側に重きを置いており、年齢が進むほど信頼しない側へ重心が移っていくということだ。どこかに越えられない一線や閾値が引かれているわけではない。

ただ、全体として、すべての年齢層でＡＩを信用する方向への移行はあるだろう。

［＊1-15］Formula One 世界選手権。国際自動車連盟が主催する四輪スプリントレースの最高峰。
［＊1-16］ドライバーズエイドとも。運転を補助する機能。オートマ、ローンチコントロール（発進加速の最適化）、トラクションコントロールなどがある。
［＊1-17］駆動輪のトルクや回転数を調節して、タイヤの空転を防止する機能。
［＊1-18］デジタルデータを誰が作ったか、作った後に改竄されていないかを証明する技術。ハンコやサインの機能に似ているので、この名称が定着した。公開鍵暗号技術を応用して実装される。

ＡＩ自体の信頼性の高まりも、人間の側の慣れも、実績の積み重ねも、ＡＩを信用する世代が齢を重ねて高年齢層へと育っていくのも、すべてがこれを後押ししている。

これは種まきが終わったような状態で、何か「人間よりも圧倒的にＡＩのほうが正しかった」事例の大きなものが一つでも現れれば、（本当はそれをもってＡＩの正当性や有用性が確かめられたわけではないのに）雪崩を打ってＡＩ信仰が芽吹く可能性がある。

ＡＩが人間から奪う仕事とは

そうやって、多くのことをＡＩに任せていくと、ＡＩに仕事を奪われるという話が出てくる。

おかしな議論ではある。ＡＩに仕事を任せようと言っていたのに、いざ任せられそうだぞとなると、仕事を奪われる！　となるのだ。

この議論が繰り広げられる理由は2つあって、まずはただの懐古趣味である。たとえば、無駄だと思っていたハンコや4月入学も、いざなくなると郷愁を感じるかもしれない。「昔は昇進の判定は上司がやっていたんだよ、懐かしいねえ」などというパターンである。これはアトラクションのようなものなので、放っておいてよい。

もう一つは、「ＡＩにいい仕事を取られる」のパターンである。「ＡＩとロボットが仕事をしてくれるから、人間は働かなくてもベーシックインカムが得られる」となれば、あまり文句を言う人はいないだろう。自己実現のために働きたい人はいるだろうけれど、それはまた別の話である。

ただ、少なくとも十数年といったタームでは、そんなローマ市民権のようなものは出てこないので、人間が労働から解放されることはない。であれば、分担が問題になる。すでに議論したように、つまらない単純作業をＡＩに、やりがいのある高付加価値でクリエイティブな作業を人間に割り振るのが、当初の方針というか、所与の条件だった。ＡＩに高水準作業は無理だと思われていた。

しかし、いざＡＩが洗練されてくると、むしろ意思決定のような高水準作業こそＡＩが得意とするものだった。人間が自らの能力を過信していた。少なくとも私も含めてボリュームゾーンにある平均的な人間にとってはそうだった。

そこで逆転現象が起こる。難しい仕事はＡＩに任せ、人間はＡＩより明らかに優れている点、たとえばコミュニケーションを駆使する仕事に特化する。当面はこれで棲み分けができる。

実際に、こうした棲み分けは進んでいる。よく例としてあげられるのは、Amazonのメカニカルターク[*1-19]である。メカニカルタークは情報システムが苦手としているタスクを人間に依頼するシステムである。人間は提示されたタスクを実行し、報酬を得る。

さらにマサチューセッツ工科大学（ＭＩＴ）は、ある判断を任せるのは人間が妥当か、ＡＩが妥当かを判定するＡＩを研究している。これはすでに人間とＡＩとの協働を前提として進められている議論である。将棋やチェスのＡＩはそれ単独で動作するよりも、人間と協働したほうが良い成績を残す。ビジネスプロセスでも同様の認知が進んでいる。

そのとき、互いの仕事の領分はどこまでか線引きする作業を、ＡＩが行ったほうがよいという判断がすでになされていることになる。機械が定型的な作業を行い、最終的な承認を人間が行うのが当然視されていた時期からすると、隔世の感がある。

何世代か前の人が思い描いた人間と機械の共存とは主客が転倒した形だろう。なかにはこの事実によってプライドが傷つく人もいるかもしれない。

しかし、こうした雇用や働き方の形態が一般化しても、少なくとも表面上はそんなにいまと変わらない社会が運営されるはずである。

無駄な仕事は生まれ続ける

人はこれまでにも、機械にその職掌を脅かされると、仕事のやり方を変えることで仕事を維持してきたし、いらない仕事すら思いついてきた。人が無駄な仕事を思いつく才能は本当にすごい。ＡＩが社会のほとんどの職責をこなす社会が到来しても、雇用は確保され続けるだろう。

たとえば、カメラの登場によって画家という職業はその存続が危ぶまれた。写実的に光景の一部を切り取る能力について、どんな画家も単純な写真機にかなわなかったからである。

しかし、画家は絶滅しなかった。むしろ、写真のような絵画を描くことがその職分だと考えている人がいなくなった。カメラ登場以前の画家は、特に西洋絵画においてどれ

［＊1−19］Amazon Mechanical Turk のこと。システムを構築するときに、（少なくとも現行の技術では）「ここは人間がやったほうがよい」という箇所が必ず出てくる。それに対応するために人を確保して高コストになったり、機械があまり得意でない作業も機械化するなどして、使い勝手のよくない、効率の悪いシステムが出来上がる。メカニカルタークでは、世界中にジョブマッチングのネットワークを張り巡らせ、必要になったときにいつでも人的資源にアクセスして人間に作業を依頼することができる。
外形的には、機械が人に仕事を依頼しているように見える。それまでの「人が機械を使役する」関係の逆転とも解釈できるので、議論を呼んだ。

だけ現実をその通りに切り取るかが重要なスキルの一つだったが、いまはそうではなくなった。画業の人たちが積極的にそれを回避したからである。

印象派も、キュビズムも、おそらくカメラが発明されなければ、現れることはなかった。それまで人間が描く絵は写実性を追求すればよかった。しかし、機械にその優位性を奪われたので、別の方向へ舵を切ったのである。印象派の画家はあえてキャンバスにストロークを残し、画家の脳裏にどう風景が像を結んでいるか、移ろいゆく光の印象までをも描いた。キュビズムは、カメラでは写せない被写体の裏までを描写した。

機械が台頭するならば、機械ができないことを見つければいいのである。それが画家の望んだ方向への進化だったかは推し量れないが、生き残ることはできる。

パソコンやインターネットが普及し始めたころ、いまだったらエヴァンジェリストと呼ばれたであろう人々は、「これで人間はつまらない労働から解放されるだろう。単純作業はこれらに任せて、より高度で面白い創造的な仕事に集中できるんだ」と言っていた。

産業革命のときも言われていた気がするので、何かが登場するたびに良い未来、良いビジョンを語る人は現れるのである。

その理想は尊いものだし、実現するとよいといつも思うのだが、なかなか思い通りになることはない。ＡＩでいえば、人間は創造的な仕事に集中できるだろう、の部分が間違っていた。みんなが素朴に信じていたことは、少し違っていたのだ。

創造的な仕事はそんなにしたくない

こうした理想はエリートが語るので、どうしてもエリート自身を基準にものを考えて社会の実相を見誤ることがある。この事例は端的にそれが表面化していると思う。

創造的な仕事をしたい人はそんなに多くない。
創造的な仕事の食い扶持はそんなに多くない。
創造的な仕事ができる能力を持っている人はそんなに多くない。

みんな創造的な仕事が好きで、それに従事したいと考えるだろう、というのは典型的なエリートの誤謬である。創造的な仕事は意思決定を多分に伴う。そして、意思決定は困難で、かつ責任を伴うしんどい作業である。端的に言って疲れる。一日の疲労とは、意思決定の数であるとする仮説があるほどだ。みんながみんなアントレプレナーやクリエイターになりたがっているわけではない。むしろそれは少数派である。

そして、意思決定層と、その決定を全体へ敷衍《ふえん》する中間層、決定に従って実業務を行う層を考えたとき、意思決定層の主体は少なく、実務層の主体は多く必要であることは論をまたない。

「ＡＩに仕事を奪われる」と恐れる意見の本質はここにある。単純作業を奪われたら、意外と人間には仕事が残っていないのだ。

とはいえ、たぶんこれについてはそんなに恐れる必要はないと思う。人間が意思決定の権利を握っている限りにおいて、人の「無駄な仕事を考えつく」能力は圧倒的であり、他の追随を許さない。ＡＩにどれだけ仕事を奪われようとも、それこそ「ハンコをつくまで、この書類は受け取れん」のような無駄に無駄を重ねたプロセスをいくらでも創り出し、雇用を確保するだろう。

問題は三つ目の理由である。

クリエイティブな仕事に従事しようとかけ声をかけたところで、それに対応する能力を持っている人ばかりではない。仮に中間層、現業層の仕事をＡＩやロボットに任せ、意思決定層の椅子を人数分確保したところで、全員がその職責を全うできるわけではない。

むしろ、最近のＡＩの動向を見ると、これまで人間にしかできないと考えられてきた高度な判断に、ＡＩのほうが長けているのではないかと考えられる事例が頻出している。この章でも取り上げたチェスや将棋、囲碁の対戦もそうであるし、株式の高頻度取引（ＨＦＴ）[＊1-20]などはＡＩの独壇場である。１０００分の１秒、１万分の１秒といった単位での取引など、人間の判断能力でできるわけがない。

ＡＩが不得手[＊1-21]としていて、人間に活躍の場が残されていそうなのは、比較的単純でコミュニケーションを要する作業、つまり荷物の配送や店舗での小売り、介護かもしれない。これらも、コミュニケーションなんていらないと割り切ってしまえば、いずれドローンなどで代替できる作業だろうが、最後まで機械化、自動化されることに拒否反応

［＊1-20］High-Frequency Trading. 極めて短い時間の間に、大量に行われる取引の総称。当然、人間の思考速度、操作速度では追いつけないので、コンピュータによる自動取引が行われている。
［＊1-21］ＡＩの学習用データセットを作ることは、しばらく人間の仕事であり続けるだろう。安直なディストピアを想像するならば、人に残された最後の仕事はＡＩに学ばせるためのデータをメカニカルタークに依頼されて、最低賃金未満で作り続けることなのかもしれない。

が出る分野だろう。

すると、高度な意思決定はＡＩが行い、それを実現するための現業的作業を人間が担う層構造を持つ社会が、そう遠くない未来に現出する可能性がある。そして、この社会構造は短絡的で情緒的、近視眼的になりがちな人間の意思決定より、社会全体に目配りした意思決定ができる可能性があるのだ。

そうなると、ことは学生の就活を心配する水準ではなくなってくる。

では、社会の舵取りをＡＩに任せるのがいいのだろうか？

それを本書で検討していきたい。

そもそもＡＩとはどのようなしくみであるのかを概説し、ＡＩのここが問題だと考えられてきた古典的な視点を提供する。

その通りに問題が表面化した部分、問題にならなかった部分、理屈とは違う問題が現出した部分について議論していきたい。

先取りして一つだけ取り上げておくと、ＡＩの問題解決指向はあぶなっかしいと考えている。この点を念頭に置いて以下を読み進めていただくとよいと思うので、簡単に説明しておく。

現状で「AI」と呼ばれているものは、問題解決の能力に優れている。問題を解決することと自体はとてもいいことだ。トラブルがあったときに、解決できないより、解決できたほうがずっといい。

AIが登場する以前からずっと、この能力が必要であることは多くの人や組織が主張してきた。中央教育審議会[*1-22]の議論を見れば、何十年も前から生きる力や確かな学力としての論理的思考能力、問題解決能力の必要性が訴えられてきた。

問題解決の「事前」と「事後」

AIがなくても、この社会は問題解決的なのだ。そして、このとき意図的にか無意識的にか、少し問題がすり替えられる。

問題解決には事前問題解決と事後問題解決があるが、事前問題解決はあまり取り上げられない。

学校教育も、行政実務も、会社業務でもだ。いまある問題を発見し、その解決法を選

［＊1-22］文部科学省に設置される審議会。生涯学習なども含めて、日本の教育推進の元締め。

定し（なければ解決法を作り）、実行する。この3点セットでいまある問題を解決する。そのための能力をみんな磨いてきた。

しかし、ここには事前的な問題解決は現れない。ないほうが都合がいいのだ。

感染症が起きたら満員電車に揺られるのはまずい。だから、輸送容量を増やそうとか、そもそも電車を満員にしなくてもいいような都市設計や業務手法を考えようとするのが、事前問題解決である。

学生に能力のでこぼこや、将来まずいことになりそうな生活習慣を指摘しても、まず喜ばれることはない。耳に痛いし、ひょっとしたらそのままで人生渡っていけるかもしれないからだ。

一方で、その学生が何か失敗を経験して、問題が顕在化したとき、改善の方向性を示したりするととても喜ばれる。まるでいい人のように言われることもある。本当は事前に耳の痛いことを言ったほうがずっと学生の利得は大きいはずだが、一度問題が起こらないとそこへコストをかける気にはならない。問題を起こしたほうが都合が良く、改善に向けて周囲の協力も得やすい。

事前の解決には目に見える形で金がかかる。

もしかしたら、事前に回避しようとした問題が起こらないかもしれない。だからやらない。

それより、一度表面化してしまった問題に対応したほうがいい。確実に発生しているのだから、「無駄な金を使った」と怒られる度合いは少ない。

そして、人の変容を迫れる。

感染症の例であれば、「あ」行で始まる会社は6～7時の間に出社しよう、「か」行で始まる会社は7～8時である、といった解決策がとりやすい。ふだんの感覚であれば、受け入れがたい解決策であっても、現実にトラブルに直面しているのであれば、受容されることがある。

緊急事態時に、「では、輸送容量を拡大させましょう」といった施策がとられることはほとんどない。間に合わないからだ。だから、変えられるところから、多くの場合は人の行動から、変えていくことになる。

これは目に見える形での金がかからない。実はトータルコストは大きくなっている可能性が高いが、目に映らないものは誰も気にしない。政策決定者、意思決定者にとって、痛みを伴うのは他人の行動様式だけだ。事前に準備して、問題が生じないように対処しておくより、書類上の数値としてはずっと小さなコストで「問題を解決」することができる。だから、行政や企業の問題解決は多分に事後問題解決を指向することになる。

これはＡＩと相性がいい。

ＡＩの意思決定に従う世界

いまＡＩと呼ばれているものは、事前問題解決的な手続きは不得手である。それより、発生してしまった問題（現状）を理想状態へ持っていくためには、どうしたらよいかの演算に向いている。

それはたとえば、ウイルスを発生させない社会をデザインさせることは無理だろうが、感染を広げないために、どう人を動かせばいいかは計算可能ということだ。

事後問題解決指向と、ＡＩのそれへの適性を考えると、今後も何かのトラブルが生じたときに、ＡＩの判断に従って人の行動が変容していくケースは増えるだろう。

人が機械にあわせるなんて、想像できないだろうか。

ちょっと別の話になるが、コンピュータが登場した当初、まず何よりも貴重なのはハードウェア、コンピュータの本体であった。本体を動かすのに必要な基本ソフトウェア（OS）は、ハードウェアに合わせて作るものだった。

でも、次第にそれはお金がかかりすぎることが明らかになった。それよりも、OSを軸にして、OSに合わせてコンピュータを作った方がずっと低コストだった。拒否反応を示した人もいた。ハードウェアをソフトウェアに合わせるなんておかしいと唱えた人もいた。でも、現実にそれを維持しようとすれば、莫大なコストと不便さがついてまわる。

だから、Windows を軸に、Windows 向けのパソコンが作られるようになった。Android を軸に、Android 向けのスマートフォンが作られるのも同じである。合わせやすいほうが自らを変えるようにすれば、結果としてかかるコストは最小化できる。

これが、人間とAIの関係にも表れてくると考える。AIが出した結論と、人間が出した結論を比べて齟齬があったときに、おそらく人間の結論を変更したほうがコストが小さくすむことが多くなるだろう。

コストの小ささはこの社会において正義であり、やれることの限界を規定する要素だ。だから人間側が変えざるを得ない。これを違う言葉で表現するならば、AIの意思決定に人間が従う世界の到来である。

「自然環境の保護のためには人間の存在が邪魔である。だから人間を抹殺する」といったSFの世界にありそうな「AIによる支配感」はまだ想像するには無理があるし、そんなことが起こりそうな局面を迎えるほどAIは進歩も洗練もされていない。

しかし、少しずつ人間が意思決定を委譲しているという意味においては、すでにAIによる管理やAIへの依存は始まっていると言ってよい。

この考え方を笑止であると切り捨てるには、私たちは自分の生活への機械の浸透を許しすぎている。そして、それは確実に生活を便利に、楽にしている点もあるのだ。

そのことが、総体として良いことなのか悪いことなのか、それが未来をどう変えていくのかを考えていこう。

ESCAPE
FROM
THOUGHT

2

ESCAPE
FROM
THOUGHT

第2章

能力の外部化の果てに何があるのか
——記憶、決定、体験

そうです、仕事もなくなります。でも
その後ではもう労働というものがなくなるのです。
何もかも生きた機械がやってくれます。
人間は好きなことだけをするのです。
自分を完成させるためにのみ生きるのです。

カレル・チャペック

2

ESC
FRO
THO

労働も移動も伝達も面倒くさかった

ここまで議論してきたが、結局この一言に尽きるのだと思う。労働は面倒くさい。意思決定も面倒くさい。

それはおそらく、私たちがここ何十年か教わってきた価値観とは真逆である。私たちは、労働は尊く、やりがいがあって、自己実現の要であるとすら教えられてきた。

自分の頭で考えて決めることに価値があり、そのために学校教育の現場は暗記型のカリキュラムを抑制し、考える力を育む授業を「ゆとり教育」[*2-1]や「アクティブラーニング」[*2-2]、「プログラミング的思考」[*2-3]の名のもとに実践してきた。

でも、それは本当にみんなが望んだことだっただろうか。

自分で決めれば自分で責任を取らねばならない。新自由主義的な政策のもと、社会のしくみとしても自由意志が尊重され、それとセットで自己責任が広く重くのしかかるようになると、自由を嫌気する学生が増えた。

自由は尊い。それを謳歌する能力があれば。そして、正規分布を描く学生層のうち、本当に自由を望み、楽しめるのは、標準偏差を超えてくる水準の学生だろう。であれば、学生の大部分はこの自由を負担と捉える。

政策や教育の方針を考え、決定するのは選良である。彼らは自由と意思決定を普遍の価値だと考えすぎている。自分たちはいかようにもこれらを使いこなし、そのメリットを享受できるので、自由を過大評価する。

彼らに悪意があるとは思わない。むしろ、自由と自己決定の裁量を拡大し、人を次のステージに押し上げるのが動機である。ただ、大多数の人はそれについていけない。ほ

[＊2-1] 知識偏重型の詰め込み教育から脱却し、論理的思考力や創造性、主体的な学びを重視しようと志向した教育。「生きる力」や「ゆとりある教育」を標榜することが多い。古くは１９８０年代の過剰な受験競争への反動に端を発しており、授業で扱う内容が漸減していったが、いわゆる「ゆとり教育」は２００２年以降の学習指導要領を指すのが一般的。各種の指標が学力低下の兆候を示したため、２０１１年には学習内容が増加した学習指導要領に改められた。

[＊2-2] 学ぶ者が主体的、能動的に行う学習の様式。多くの受講者を大部屋に押し込め、一方的に話を聞かせるだけの座学形式に対する反発から注目された。座学型のクラスルームトレーニングは知識の定着率も低く、コミュニケーション能力のような現代において重要度が増しているスキルの向上にも向いていない。そこで、各種学校が教育手法として導入するようになった。授業運営に成功した場合の教育効率は良好だが、大規模座学型の授業に比べると運営コストが大きいことや、そもそも主体的に学ぶモチベーションに乏しい児童・生徒に対して授業が成立しないなどの短所もある。

[＊2-3] ２０２０年に導入されたプログラミング教育必修化とセットで登場した言葉。論理的思考力をベースに、それを問題解決にどう役立てるか、いかに効率的に解決に至るか、解決するためにはどのようなプロジェクトマネジメントやコミュニケーションが必要か、にまで拡張した概念と考えられる。プログラミングと混同しやすく、複雑でわかりにくかったことから、あまり普及していない。

とんどの人は、自由や民主主義を使いこなすほどには、強くない。

職業は単に糊口を凌ぐだけではなく、自己実現の場でなければならない。好きを仕事にしなければならない。仕事にやりがいを感じなければならない。そう言われるようになって、ブラック企業[*2-4]に勤める学生が増えた。

ブラック企業が与えるもの

仕事にそこまでの比重を置かず、よく思考せずに生活の糧を得るために就職する学生は多かった。それが許容されてもいた。でも、それでは駄目だと言われたのだ。

そんな状況に置かれた学生にとって、ブラック企業は福音である。本来自分で決めるべきやりがいを会社が勝手に規定して押しつけてくれる。お前は自己実現ができているぞと、他者である会社が承認を与えてくれる。お前はこの仕事を好きでやっているんだと、思考すら改竄してくれる。

どれもこれも、賃金を抑え、つべこべ言わずに火中の栗を拾う要員を確保するための施策群にすぎないが、その構造を知っていながらブラック企業に就職する学生は後を絶たない。金銭的、時間的、肉体的搾取に遭うとしても、ひょっとしたら彼らはブラック企業から十分な便益を得ているのかもしれない。

考え、決め、満足するという、多くの者にとって、喜びよりも面倒くささや気後れを感じるアクティビティをブラック企業が肩代わりしてくれているとも考えられるからだ。

もちろん、ブラック企業がこの社会に現れ、定着したのはそんな薄っぺらい理由だけではないし、ブラック企業自体存在してはならないものだが、あまり考えることが好きではなかったり、得意ではないのに、それに価値があるんだと圧力をかけられた学生が、ブラック企業を利用している側面も確かに存在すると思うのである。

アクティブラーニング（＝能動的な学び）の授業を、とにかく発言なしでやり過ごし、最後に誰か権威ある者（教員やみんなに承認された優秀な学生）の「正解」を聞いてから、解答や行動を埋めようとする学生を見るにつけ、そう思う。


［＊2-4］過酷な労働条件で業務に従事させる企業、パワハラが行われる企業、多忙で帰宅できない企業、プライベートも支配される企業、給料を払わない企業、退職の意思を示しても辞めさせてくれない企業、従業員を使い捨てにする企業などの総称。反社会的な性質を持つ企業、海外の労働力や環境を搾取する企業などもこう呼ぶことがあり、意味の拡散が生じている。近年では「ブラック企業に入らないこと」が学生の就職活動の大きな目標になるあまり、ホワイト企業なら職種は問わないといった活動方針で就職に臨む学生も増えた。一方で身体的、精神的拘束の厳しいブラック企業に入社することで共依存的な安定感を得る学生も存在する。

SNSは囲い込む、決めさせる

自分の意思で決めよう、自分の手で将来をつかもう。こうしたメッセージが発されるたびに、それをしんどく思う学生が顕在化し、それを救うサービスが登場する。

SNSはその典型だろう。

そうではない、と考える人は恵まれていると思う。SNSは自己実現や自己表現のツールであると考えられる人は、能力にも生活資源にも余裕がある。

かなりの人々にとって、SNSはつながる技術ではなく、囲い込まれる技術である。自分でものを決めるための技術ではなく、決めてもらう技術になっている。

SNSを使いこなしている人は、SNSで情報を発信し、人とつながり、新しい世界を拓いていく。SNSもそれを喧伝する。

しかし、それに憧れて、あるいはそうせねばならないと強迫観念をもってSNSに参入する利用者の多くは、発信する自己もなく、責任を持って人とつながり議論することに倦怠を覚える。

であれば、SNSがフリクションのない人間関係を提案し、それによってタイムラインに自分と同種の意見だけが並ぶようにサービスを設計するのは自然なことである。何も決めなくても、たとえば人と意見を闘わせてそれを昇華するようなしんどいことをしなくても、自分の意見が世界に承認されているように錯覚できる。

実はその「世界」がSNSのAIによって慎重に設計されたごく少ない人数の、まるで幼児が「みんなやっていたから」と漏らすときの、2、3人の「みんな」と同質のフィルターバブル[*2-5]内での出来事だったとしても、それに気付かなければいいのだ。利用者はその通り、ちゃんと気付かないように振る舞ってくれる。

商品ではなく承認を買う

承認の心地よさに慣れた利用者がSNSでの滞留時間を長くすれば、自ずと広告への接触時間も増える。この関係は双方にとってWin-Winである。

［＊2-5］自分の見たくない情報を選別・排除（フィルタリング）して、自分にとって望ましい情報のみで満たされた空間のこと。基本的にはSNSはフィルターバブルの構築を目指したサービスといえる。心地いい情報にしか接さずにすむので、つい長く滞留してしまう。そこで広告に接触させるのが彼らのビジネスモデルである。フィルターバブルの内部にいる利用者の視点では、バブルは世界に開かれた大きな空間のように見えるが、実際にはごく小数の人や情報で構成された狭隘な場所であることが多い。井の中の蛙を育む土壌になってしまうこともあり、狭い井戸の中で自分の価値を高く見積もったり、自分の意見が無謬であると錯覚する現象も起こる。

何かに参加して意思決定した気分になりたければ、SNSと密接に結合された購買サイトからのレコメンドで、商品の購入を「決定」すれば、自分の意思で決断をして社会に参加した気分になることができる。彼らは、商品を購入しているのではなく、承認や決断を購入している。

だから、購入サイトからのレコメンドで最も重要な情報は、「他の人はこんな商品も買っています」である。商品そのものの情報ではなく、他の誰かが承認済みかどうか、自分の購買決定が批判や笑いものの種にならないかどうかである。そうした情報は自分で決めるよりも、監視システムのほうがよほど正解を知っている。

そして、購入サイトは全展望的なネット上での行動監視を強めており、極端にその人の人生にマイナスになるような商品を薦めてはこない。彼らにとって、主たる購入物は承認や決断であり、商品はおまけのようなものだが、だからといってまがいものをつかまされるようなことはない。

何を買うかは購買サイトのレコメンドによっており、自分で決めたわけではないが、決断をしたという気分を買うことができるこのしくみも、双方にとってWin-Winである。AIというのはおこがましいけれど、私たちはすでに乗換案内やグルメサイト、決済、そして何より検索サービスに考えることを委譲している。「概ね正しいだろう」と。

ほとんどの人は、これらのアルゴリズムを詳しく知っているわけではない。実装のされ方にも興味がない。乗換案内の結果やグルメサイトの評価、検索エンジンの導くサイトにゆらぎが出たり、ときには不正確であることも承知している。でも、それをわかったうえで、やはりこれらに頼り切っている。概ね正しいし、何より考えることが面倒だからだ。

何かを述べたくなったら、SNSに書き込んでみるのもいい。フィルターバブルによって限局された言論空間は、何をつぶやいたとしても相応の「いいね!」を押してもらえるだろう。悪罵があれば、ブロックしてもよい。それによって、フィルターバブルはより強固になる。利用者は守られ、SNSがフィルターバブルを構成するアルゴリズムは精緻になる。

もう少し刺激が欲しければ、定期的に開催される炎上案件にあいのりしてもいい。罵詈雑言の限りを尽くしても、匿名の繭で守られ、むしろ罵ることが正義であるかのように錯覚できる安全な案件は、SNSがトレンドの形で親切に教えてくれる。

近年は、取材費や取材要員の抑制などの要因によって、ネット上のニュースや話題をソースに取り入れるマスコミが増えた。マスコミは「ネット上でこのようなことが起こっている」と報じるが、これはある意味でマスコミによる叩きの承認である。トレンドによって、「みんな」が叩きに参加していることを知り、報道によってマスコミがそれに権威付けと承認を行う。そんな安全な案件がごろごろ転がっている。安心して、正義の行動を遂行して社会参加への欲求を満たし、個人的な溜飲も下げることができる。ＳＮＳ、マスコミ、利用者にとって三方よしである。

人間の歴史は外部化の歴史

自主独立や自己責任はしんどかった。大事なことは誰かが決めてくれて、それがなるべく楽な内容で、決めてくれた人や組織をたまに批判しているくらいのほうがよかった。世界の思潮としてそれが困難になってきたのであれば、たとえば家長や学校の先生、コミュニティの長がそれを決めて押しつけるようなことが前時代的な旧弊と認識され、自分に意思決定のお鉢が回ってきてしまうのであれば、意思決定を丸投げしても揶揄されず、しかも旧来の意思決定者や自分よりうまく決めてくれる主体、すなわちＡＩに意思決定を外部化するのは当然であるばかりでなく、合理的なことではないか。

人間の歴史とは、面倒なことを外部化する歴史でもある。人に直接何かを伝えるのが面倒であれば、伝書鳩を使役し、郵便のしくみを整え、代筆業を育てた。火や電気すら活用して、のろしや電気通信をシステム化した。

歩くのが面倒なら、馬を飼い、船を運用し、列車を発明し、自動車を開発した。いまでは体を移動させずに体験のみ消費できるVR（バーチャルリアリティ）システムも実用化されている。給与計算が面倒だからそろばんや計算機を作り、給与計算業務そのものをアウトソーシングやオフショアで外部化した。記憶することが面倒であればメモに記し、やがてメモリに保存した。

面倒なことを外部化したいという人間の業は、深く濃いのである。これは、道具や機械に限った話ではなく、外部化する先は他人やシステムでも構わない。

計算が面倒なのは昔からだ。だからコンピュータや電卓が出てくる以前から、そろばんがあった。私たちは連絡が面倒だから、SNSやメッセンジャを使っているが、その前にはメールや電話があった。電信が開発される以前だって、伝書鳩やのろしを使って（自分で走ったり叫んだりすることなく）コミュニケーションしてきた。

人と揉めることや、その解決も面倒なので法令を整備した。法令を編集するのは代表者を立て、紛争が生じれば代理人に解決してもらうこともできるようにした。労働なんて面倒の最たるものだ。だから貨幣に価値を蓄え、それを行使することによって、自分で食べものを取ったり、身の回りの世話をしたりすることをも外部化してきた。

もう考えつくものはあらかた外部化し尽くしてしまって、最後に残った大物が思考である。これを外部化できるキラーアプリケーションがＡＩだ。だからＡＩは重要なのである。

意思決定の外部化は進むのか

では、個人としてのアクティビティのうち、ＡＩが肩代わりしてくれそうなところ、ＡＩのほうが得意そうなところは、今後どんどん外部化していけばいいのだろうか。少なくともそれを厭わず、むしろ望む人々についてはそうなのだろうか？

たとえば、自動車の運転、保険の契約、就職先や転職先、結婚相手の選定は面倒で、判断を誤ったときに失うものも大きい。ＡＩによる判断は無謬ではないが、自分が決めるよりはひどい目に遭う確率を減らせるだろう。もう少し身近なものに目を向けて、映画や音楽、書籍を選ぶときはどうだろう。別に見る映画を間違えたからといって人生がひっくり返るわけではないが、貴重な休日の午後をみじめな気持ちで過ごすことにはなるかもしれない。それも人生を構成する経験の一つだが、情報化が進み、可視化が進むと、うまくやっている他人の生活が否応なく視野に入ってくる。知ってしまえば、自分だけがうまくやれていない（少なくともそう感じる）ことに我慢が利かなくなる。

おそらく望むと望まざるとにかかわらず、多かれ少なかれ意思決定の外部化は進む。

一つにはそれを望む人々が、けっこうな割合で存在していること。すでに議論したように若年層でこの傾向は顕著なので、望む人々の割合が大きくなることはあっても、急に少なくなることは予想しにくい。一定数の人はきっと積極的に、ＡＩに意思決定を外部化して生きていくことになるだろう。

もう一つはすでに議論したが、そのほうが結果的に利得が大きくなっていくだろうからだ。人間は意思決定がそんなに上手ではない。進学でも就職でも結婚でも運転でも、相当いろんなことを間違える。

しかもそれらの間違いが、情報システムによって可視化される時代になった。そこに自己責任が絡むと、間違いを予防したくなる。そのとき、ＡＩの意思決定精度が上がっていて、ＡＩに従ったほうがお金を損したり恥をかいたり実刑をくらったりしなくてすむのであれば、意思決定はいやでも外部化されていくだろう。

論理的思考が軽視される理由

意思決定の外部化で、外形的には社会はよくなるはずである。

ここまでの議論でいえば、たとえば自動運転車にはいまでも多くの社会的な懸念と、技術的な未解決事項が残されているが、導入されれば事故と死者はまず間違いなく減る。

２０２０年の日本国内の交通事故による死者は２８３９人である。かつて交通戦争と呼ばれた時代と比較すると各種の施策や製造、医療の技術革新により激減しているが、それでもこれだけの数の人が亡くなっている。

自動運転システムを導入しても死者の出る事故は発生し続けるだろうが、１桁か２桁これを減じることはできるだろう。そのとき、自動運転システムやＡＩの瑕疵を責めることは簡単であるし、わかりやすいが、人のミスなどによって本来起こるはずの事故が減り、亡くなるはずの命が助かることにも目を向けなければ公平だとはいえない。

人のミスは仕方がないが、ＡＩの誤謬で死ぬ羽目になるのは情理的に納得できない、情報倫理的にもどうか、といった議論は生じるだろう。しかし、死者数はとても説得力のある数値であるため、おそらく自動運転システムを突破口に社会の重要な要素にＡＩを導入する事例が急速に拡大すると思われる。

交通機関の運転で自分の命を預けることに慣れてしまえば、資産運用をＡＩに任せることなど大きな決断ではない（トレーダーの影に隠れているだけで、すでに導入が進んでもいる）、教育の自動化や遠隔医療の実施までも指呼の間である。

人事評価なども、透明化される。人事の評定はとても泥臭い分野だった。まず評価の基準がよくわからない。透明化しないと評価者の権力が不当に高まり、不正やハラスメントの温床になるので、ここを可視化する努力はずっとなされてきた。

評価基準の公開や定量化は、企業だけでなく学校の現場、たとえば推薦入試の基準や誰を選定するかといったプロセスにも及んでいる。でも、やっぱりよくわからないのである。最後には人のさじ加減や解釈が混ざるからである。

だから、会社に勤めると、業務よりも評価者の顔色をうかがうことに注力したり、下位者の捺印は上位者に対して傾け、寝かせなければならないといった、印鑑本来の機能とはまったく関係がない謎のローカルルールが制定されたりする。自分の仕事は終わっているのに、上司が帰らないから帰宅できないといった何ら合理性のない行動も生じがちだ。

児童、生徒、学生も、推薦入学や奨学金を狙う者は、学業だけでなく先生の心証が悪くならないように注意を払わなければならない。世の中のしくみがそうなってるんだし、会社に入ったら上司の顔色を伺うスキルが最も重要なんだから良い訓練だよ、などと言う者もいるが、本来無駄な努力である。少なくとも、この国の生産性や競争力を向上させる役には立たない。

学生の論理的思考力が育たないといっても詮ないことである。学生はきちんと社会を見ている。決して無知な存在ではない。社会を観察した上で、自分に利得のある行動を取る。論理的思考力を培っても、「有給休暇は与えられているけれど、実際に取得すると白い目で見られるから休まない」といった謎の慣習や、ただ集まって資料を読み上げるだけだけれど「集まることに意味があるんだ」として多くの参加者に移動を強いる呪術的手順の会議などが幅をきかせているのであれば、論理的思考など生きる邪魔になる。「こんな不合理なことにつきあっていられるか」という真っ当な批判精神を育んでしまい、会社や地域に違和感を覚えて居づらくなってしまうからだ。

監視社会とイノベーション

失敗に厳しい社会であれば、主体的な学びや創造的な生き方が主流になるはずはない。決して先んじて行動せず、誰かの失敗を目の当たりにしてから、それを回避するように行動するほうが高評価を得られる。

イノベーションも無理だ。イノベーションは試行錯誤の末の死屍累々の先に現れる。失敗は許さないが、イノベーションを推奨する社会はグロテスクだ。どこかで変えなければならない。変える者を叩こうとする圧力が強いのであれば、その役割をＡＩに任せることには意味があるだろう。

これは、パノプティコン[*2-6]の問題である。

パノプティコンについては第4章で詳しく述べるが、社員も学生も、自分が監視され

［＊2-6］全展望監視システムと訳される。極少数の人員で多数の囚人を監視する、ないしは監視していると錯覚させるシステム。ベンサムの社会改革構想の切り札。彼はこのしくみで囚人によい習慣を身に付けさせようとした。しかし、彼の意に反して、恐ろしい監視機構の象徴として人々の記憶に刻まれた。

ていると考えている。少なくとも、その可能性があると考えている。監視者側に権力がありすぎて、眩しくて権力者の実像は見えない。となると、ベンサム[217]が考えた通り、監視者に気に入られ昇進や昇給、成績の向上、推薦入学の実現を企図する者は品行方正な暮らしをし続けなければならない。

ＡＩやセンサーネットによる監視社会を危惧しなくても、社会はすでに十分に監視社会的である。それならば、いっそ監視者をＡＩにしてしまったほうが公平ではある。

むしろ監視を望む者が多いことも、ここまで議論してきた通りだ。メリットとデメリットを比較考量してメリットのほうが大きいと結論する局面が多いからだ。望む者が多ければ監視はなくならないので、そうであるなら社会が望むものは公平な監視者である。

ＡＩは判断基準がわからない、ブラックボックス化されているといった批判はあるが、それを改善するよう技術開発が続けられている。何よりも、人間という極めて複雑で不条理なブラックボックスよりは理解しやすい。

より正しい評価が可能に

仕事がないのに退社できない、有給が取れない。もっと勉強したいけどやりたくもない部活動やボランティアをやる。こういった人間の評価者に気に入られることを想定した特有の忖度は人事評価AI、成績判定AIの導入で漸減させることができるだろう。もちろん、ここでいうAIは過去の事例に学んで政治的に正しくない評定や判断を下す水準のものではなく、もっと洗練されたもののことだ。AIは過去から学ぶので、人種差別的な評価や、性差別的な評価を下してしまったAIも、次世代への礎としては貴重なデータを残したことになる。

この分野は感染症のリスクを認識した社会によって、急速に発展し、導入へのハードルも低くなる可能性がある。教員の目が届かない、あるいは届かせることによるプライバシー侵害の懸念がある遠隔学習、自宅学習での進捗確認や成績評価での活用が期待されており（センサーネットによる監視もプライバシー侵害ではあるが、人の目による監

［＊2-7］ジェレミー・ベンサム（1748年〜1832年）
イギリスの法哲学者。功利主義の創始者として知られ、彼が記した「最大多数の最大幸福」は様々な場面で引用される。経済学者でもあった。

視よりは公平で受け入れやすいという判断だ）、それは企業の在宅勤務におけるパフォーマンス評価も同様だ。

何よりも、ＡＩによる評定は、評価できる項目を多く取ることができる。評価項目が多ければ多いほどその人の評価が正確になっていくのは間違いないが、増やせば増やしただけ評価者の負担は増す。実際、データ量の増大によって青息吐息になっている評価者は多い。

また、会社の会議でも授業のディスカッションでも、最初と最後だけ大きい声で特に意味もないことを自信たっぷりに発言した者の評価が高いことなど、バイアスやノイズが多分に含まれることはよく知られている。

人間の評価者もこうしたバイアスをかけないように研鑽を重ねているが、ＡＩとセンサーネットによる評価はこうした偏向を最小化することができる。

「評価」はＡＩが得意とする分野であり、社会への導入も早期に実現していくことが予想される。人事や学事以外では、ファクトチェック*2-8のＡＩ化が（すでに一部で行われているが、より広範囲、高深度に）ターゲットになるだろう。

ＳＮＳのエコーチェンバー*2-9効果やサイバーカスケード*2-10、フィルターバブルは本書のテーマではないので詳細は省くが、とにかくSNSでは自分の意見が正しいとの思い込みを強化する構造があり、似た意見の人とだけ接続されることでそれが再強化される。そのため、多様な意見を参照することが可能な環境であれば信じることが困難な、偽情報やデマが急速に拡散され、信じられるに至ることがある。

そして、SNSのユーザインタフェースは、それが偽情報だとわかったときに訂正が容易な設計にはなっていない。一度拡散した情報は消去困難で、訂正情報を強制的に配

［＊2-8］情報の真偽や妥当性を検証すること。古典的には著作を出版する前や、情報を報道する前の工程だったが、SNSにより情報の発信者が不特定多数に拡大したこと、AIを利用したディープフェイクの一般化により、本物と見紛うようなフェイクニュースを制作可能になったことから、現在では事後検証の意味で使われることが多い。

［＊2-9］残響効果。エコーチェンバーとは残響室のこと。近年の文脈では、フィルターバブルを残響室に見立てていて、自分の行った発言が同質者集団からの「いいね！」や賛同のコメントを連呼されることで、意見が強固になり、より極端なものになることをいう。

［＊2-10］インターネットで生じる集団極性化現象と説明される。たとえば、フィルターバブルの中で強く極端な意見にさらされ続けることで、特に態度を定めていなかった論点について、それに染まり、さらされたものと同じ意見を持つようになることが同時多発的に起こるのは、サイバーカスケードである。

中にはフィルターバブルを超えて、世論の大きな潮流となるサイバーカスケードが発生することもある。その場合は、別方向へ強固な意見を持っているフィルターバブルとも接触することになるので、不可避的に炎上も起こる。エコーチェンバーによって先鋭化した意見が、まったく別のベクトルの意見によって中和されることは少なく、また歩み寄りや受容よりも、相手を叩き潰すほうが低コストで全能感も得られるからである。

信するしくみもない。何よりも、訂正情報のような興醒めし、自分の間違いを内省させるような情報を、利用者もＳＮＳのプラットフォーム側も望んでいない。お祭り騒ぎとして消費できる一過性の情報があればいいのだ。真実かどうかは、優先される事項ではない。

「ネットで話題の〇〇〇」の罪深さ

同じことはマスコミにもいえる。

近年のコスト、人員圧縮によって、「ネットではこう言われている」といった報道が増えた。確かにネットからの情報取得コストは小さいので、紙幅を恒常的に埋めるには適した情報である。ネット世論の形で、自社の報道姿勢と適合した情報を拡散することにも寄与するだろう。しかも、間違ってはいない。仮にそれがデマであっても、「ネットではこう言われている」と報じただけなのだから。

しかし、形式はどうあれ、報道機関が報じた時点で、多くの人にとってはそれは限りなく事実に近い情報として認知される。

ワイドショーなどの情報番組にも、同様のことがいえる。この種の番組は制作コストの小ささから、複数の番組が制作され、放送されるようになったが、報道ではない気楽さからか、個人の意見にすぎないコメントや事実確認が甘いコメントが散見される。中にはSNSのレスバ（レスバトル：言い合い。ネット上でのマウントの取り合い）でしかないものもある。

そのようなものでも、テレビという基幹放送局を通して情報が流通すると、SNS以上にその情報の真実化が促されてしまう。仮に間違った情報が流通したとして、訂正情報が報じられるケースは少なく、報じられたとしても偽情報と比してその扱いはとても小さい。

三権を監視、批判する第四の権力として、マスメディアに期待される役割はまだ多い。しかし、権力は必ず腐敗し監視を必要とする原則から考えれば、この第四の権力を監視する機構は完全とはいえない。放送全体に対するチェック機能として、BPOなど既存機関がカバーできる範囲は狭いものに留まっている。

マスコミが悪意ばかりを持っているとは思わない。三権を監視するという義務感が報道の偏向や過剰さを生むこともあるだろう。

また、個人も悪意で動いているとは思わない。そもそも個人に情報を発信しているという気分は乏しい。ＳＮＳ、特にTwitter（同社は自身をＳＮＳと定義していないが）の拡散と伝播の力は事実上、報道機関並みの水準にあるが、報道に関わる要員が必ず施される教育を、ＳＮＳを使う個人は受けていない。影響力のあるYouTuber などでもそうだ。

自分が発した情報がどう扱われ、どう切り取られ、どのような影響を及ぼすかまでを見越して情報を発信しろ、その覚悟を持てというのは、末端の個人利用者には酷な要求であり、すべてを個人の責任に帰すのは無理がある。

だから、個人として自分が信じた真実を拡散し、それが誤解と不幸を生む。ＳＮＳをめぐる問題にはこうしたどうしようもなさが含まれている。

ならば、その情報が真か偽かの判定も、ＡＩにさせてしまえばよい。ＡＩであっても与えたデータセットとアルゴリズムによっては判定間違いが発生するだろうが、それが起こるのはどんなに優秀な第三者機関でも同じである。ＡＩならば、学習の深化により、間違いは減り、検査費用は低廉になる。何よりも検査範囲を広く取ることができる。まさに全展望監視システムだ。

AIの「感情」と「思考」

AIは人になるか。ならない。

少なくとも短期的に、たとえばシンギュラリティ[*2-11]としてよく言及される2045年までに人のような感情や思考方法を持つAIは現れない。フレーム問題の観点からも、身体性獲得の観点からも無理である。

そもそもシンギュラリティ自体が曖昧な概念である。「人を超える」の定義があやふやだ。四則演算をする能力や、物を運搬する能力であれば、ずっと昔から機械はすでに人を超えていた。感情を持つという意味であれば、しばらく無理だし、将来的にも可能になるかどうかわからない。

感情を定量的に評価して、人の気分を推定したり、それらしい模倣をすることはできる。すでにある程度は実現しているが、これで感情を持ったとはいわないだろう。

複数分野にまたがる弱いAIを統合的に制御し、中くらいのAIを作ることは

[*2-11] 技術的特異点。人類に代わってAIが文明を担うことになる時期と説明されるが、その定義は曖昧である。要素技術としては、機械自身が再帰的に自分自身をアップデートできるかどうかが鍵になる。

２０４５年までに可能かもしれない。また、これまでに述べてきたように、「意思決定の外部化」（強いＡＩの開発よりずっと難度が低い）を「人類に代わってＡＩが文明を担うことになる」と解釈するならば、２０４５年あたりはいい予想かもしれない。

いずれにしろしばらくの間は、ＡＩに人の代わりを求めるのは不可能である。しかし、人がＡＩの中に人を感じることはあるだろう。たとえば、介護施設で実験[*2-12]を行ったことがある。高齢者はＶＲの萌えキャラに応援されるとやる気を出すか出さないかといったものだ。

身も蓋もないのだが、男という生き物は本当にどうしようもないと思う。余命があと数年しかないと予測されるおじいちゃんでも、若い異性に応援されるとリハビリなどが頑張れてしまうことがある（いや、おじいちゃんだけでなく、おばあちゃんたちも大概なのだが）。

実験としては面白いのだが、そんな高コストなリハビリはなかなかできるものではない。少子高齢化で人的資源が枯渇するなか、貴重な若い要員を（しかも美男美女であるほどよいのだ。さらに高コストになる）そこに投じ続けることはできない。

でも、ＶＲならそれが可能である。

デジタル化が生んだ握手会

ＶＲとは体験をデジタル化する技術である。情報技術は色々な物事や現象をデジタル化してきた。それが社会に与えた影響は大きい。たとえば、音楽はデジタルになることで、劣化のない複写とゼロに近いコストでの流通が可能になった。

アイドルがグループ化したのは、このせいである。

20世紀において、アイドルは単独の商品であり得た。しかし、現状で１人の人間がアイドルを演じている事例がどれだけあるだろう。ほとんど根絶やしになっているはずだ。社会学的に解釈するならば、ポストモダン的な社会や、個人の価値観の多様化が、異性の好みのバリエーションを広くし、１人の偶像がそれを吸収しきれなくなった、と意味付けるのがふつうだと思う。たくさん人を並べておいて、「これだけいれば、誰かは好みのタイプでしょう」とやる売り方である。

それも間違ってはいないと思うが、もっとシンプルな理由もあると思う。商売の理由

［＊２-12］２０１９年実施。入所者の方にＶＲ装置を装着していただき、ガイドキャラクターの呼びかけの有無で、リハビリテーションへのモチベーションが変動するかを計測した。

はいつだってお金だ。

　情報技術の進展によって、アイドルは儲からなくなった。具体的には主力商品であるCDを買ってもらえなくなった。音源は発売日当日に、下手をすれば発売前から割れ（不正にコピーされ）、ネットに流出してしまう。デジタル音源なので、コピーによる劣化の度合いは最小、もしくは無劣化である。それが無償で流通しているのだ。

　有償のオリジナルと、無償のコピー（しかも、ほぼ同じ品質のコピー）があるとき、有償の商品を手に取る人は相当の変わり者である。もしくは好きなアイドルやその業界の存続を憂慮してあえてお金を払う決断ができる思慮に富んだ良い人である。

でも、ほとんどの人は無料で同じものが手に入るのであれば、オリジナルに自分の貴重な資金を投じたりしない。

　であれば、アイドルは食い詰めるのだ。実際、食い詰めかけている。そこで彼ら、彼女らはCDに代わる商品を必死に模索した。消費者の財布のひもを緩めるには、コピーが可能な商品であってはならない。製造技術も進歩しているいま、ほとんどの事物はすぐにコピーされてしまう。デジタルで流通する商品ならばなおさらだ。

　そんな状況下で、体験はまだコピーすることができない。

つまり、コト消費に行き着く。コピー不能なものであれば、消費者はお金を払ってくれる。では、アイドルがファンに提供できる体験とは何だ？　それがチェキであり、握手である。あれは体験の切り売りだ。

そして、握手が商品になるならば、手の数は多いほうがいい。1人のアイドルが1時間にこなせる握手の数はたかが知れている。マネタイズの効率が悪い。でも、それが46人だったら？　48人だったら？

だから、この手法の天敵はVRだ。VRは体験をデジタル化する技術だと書いた。デジタル化した情報は必ずコピーできる。握手会は脅かされる。

いまのところVRの技術はプアで、「VRで握手できたから、本物とはもう握手しなくていいや」とはなっていない。しかし、10年後は十分にリアルの握手に対抗できる表現力を持つに至っているだろう。すでに2018年にはVRで握手会を行ったアイドル[*2-13]がいるが、それが時代の先駆けなのか、自分の首を絞める行為なのかは評価が分かれる。

［＊2-13］VRアイドルとして初めてバーチャル握手会を行ったのは、広く認知されている限りでは「えのぐ」で、2018年実施。ただし、「えのぐ」のメンバーは、いわゆるvTuberであるため、握手会を行うならばバーチャル握手会以外に選択肢がないともいえる。

恋人の仮想化

先にも少し触れたが、そのVRを使って、萌えキャラにリハビリの応援[*2-14]をしてもらったところ、人に応援してもらうのに準ずるモチベーション維持の効果があった。ここで使ったVRモデルは、そんなに精度の高いものではなく、AIを使った会話機能なども搭載していない。あらかじめ録音された応援音声が繰り返し再生されるだけである。

でも、人は人型を模した何かが動いているだけでも、そこに意思や意味を感じ取ってしまう。プログラムにすぎないただループする動画でも、その人の認識の中では人になり得る。

リハビリの高齢者のケースは微笑ましいというか、おそらくメリットのほうが大きいが、怖い事態も記しておこう。人とのコミュニケーション、もっといえば、恋人は仮想でいいと考える若年層の増大である。

この話題はAIを持ち出すまでもなく、若者の間では一般化していた。それこそポストモダン的な多様化した生活様式の中で、コミュニケーションコストは増大している。会話のどこに地雷があるかもわからず、何かその場の様式に外れたことを口にしてしまえばポリティカルコレクトネスの欠乏を突かれて社会的な基盤すら危うくしかねない。

だからこそ、企業はこぞって就職時に問う能力を、学力からコミュニケーション能力というあやふやで相対的なものに転換してきたわけだが、そんなに高コストなのであればコミュニケーションを絶ってしまおうと判断する人が出始めた。

リスクへの対応としては、リスク回避にあたる行動で、あながち間違いではない。ただ、恋人や配偶者も仮想でよいとなると、ちょっと社会的なインパクトが大きい。

そうは言ってもオタク層は拡大しているので、結婚相手に生身の肉体を求めない人は若年層を中心に今後も増大すると考えられる。実際、そうした需要を見込んで、自宅でキャラクターと暮らす生活を実現する技術が商品化され始めた。

チャットボット水準の機能しか持たないキャラクターでも、人はそれを配偶者にすることができる。洗練されたAIとVRインタフェースでこれが実装されたとき、恋愛や結婚は生身の人間を相手にするものではなくなるかもしれない。

それを嘆くことは簡単だが、人の行動には常に理由が存在する。高コスト化したコ

［＊2-14］ゴーグルの向こうで萌えキャラから「あと2メートル、頑張って！」など声掛けされながら歩行のリハビリをするイメージ。

ミュニケーションや、極めて慎重に取り扱わなければならないポリティカルコレクトネス、結婚や出産、育児に対する無理解や補助の少なさを思えば、そうした制約に自分の行動を最適化させた合理的な判断だとも考えられる。

若年層にとっては、どのみちそのような社会に不満を覚えても、現実は変わらないのだ。第4章で述べるが、選挙は若年層にとって社会を変える手段として機能していない。ならば適応するしかない。若者たちのスローガンは、ここ何十年かで「社会を変えよう」から「自分を変えよう」へと有意に変化した。その結果のうちに、AIを友人や配偶者とする感性も含まれていると考えられる。誰がこれを責めることができるだろうか。結論として、AIは人になれないが、AIに人を見いだす人は増え続けることだろう。

専制君主は望まない

ここ数十年で社会システムは極端に複雑になった。どの学校に進学したらいいのか、どの会社に就職したら得なのか、どこに住んだら安全なのか、保険は、投資は、交際は、結婚は、出産は、老後は?

複雑な将棋の盤面を前にして、プレイヤーがすべてを読み切れないように、人生にお

キャラクターを「召喚」して一緒に暮らすことができる「Gatebox」

©Gatebox Inc.

いて最善の一手を模索することには、常に徒労感がつきまとう。

一方で、オープンでフラットがよいといった価値観の浸透が、社会を可視化し、現在取り得る選択肢は見やすくなっている。答えはないのに選べる手ばかり多く、人の選択も自分の選択も、それがもたらした結果も観察しやすい。

そうした状況下では、何かを選ぶことのコストは大きくなり、躊躇する瞬間が増える。一時的に精神の安定を得るならば、人の選択を批判することが最も効率がよいため、言説空間は荒野のようになる。

それがいまの状況である。端的にいって、停滞しているのだ。

グローバル化もインターネットも、ポストモダン的な社会も、自由になりすぎて自由を失うという一点において相似している。選択肢がありすぎると、選択肢を失うのである。この認識が発酵すると、誰かに意思決定をしてほしいと願うまでは、あと一歩の距離である。

ただし、ほとんどの人は専制君主のような人物の登場を望んでいるわけではない。その人物がどんなに有能だったとしても、一個人や特定少数の集団に意思決定を委ねることの怖さは認知されている。

であれば、意思決定を任せたい主体は、世界に遍在するＡＩになる。ＡＩは私腹を肥やそうとは考えないし、人の評価者についてまわる好き嫌いによる恣意性も排除できる。ＡＩはまだ発展途上で、間違えるし、作りっぱなしでずっと稼働し続けてくれるほど手離れしたシステムでもない。正解を導ける範囲は局所的で、十全な全体最適を意識することもまだ難しい。

コントロールと満足感

でも、どうせ人間も無能なのである。無能さの水準でいえばどっこいどっこいである。無能さの位相が違うだけだ。ならば安定していて、将来性のあるＡＩに判定してほしいと、学生をはじめとする若年層の人たちが考えるのはむしろ自然なことだ。彼らこそは、他者からの評価にさらされることが最も多い年代なのだから。

私自身は、たとえ間違えても、効率が悪くても、自分にまつわることは自分で決めたいと思う。人の精神の安定や、人生への満足感には、「状況をコントロールする方策があり、自分は自分自身をコントロールしている」と感じることが強く寄与している。いくら正しくて安全でも、他者の決定で生き続ける人生は楽しそうに思えない。

ＳＮＳへの書き込み一つとっても、書いた後で批判されて消去するのと、書き込む前にＡＩに検閲されて書き込めないのとではだいぶ違う。前者は書き込むのも、傷つくのも、消去するのも自分の意思だ。

ただ、これは私が育った環境や年齢が作用しているだろう。いまを生きる若年層世代は、人に迷惑をかけないよう、失敗しないよう、注意深く教育されてきた。批判されたり、失敗したりするとそれが永遠にログに残り続ける環境に生きてもいる。

社会はフラットになり、人間の解析が進み、誰もが置き換え可能になった。かけがえのない人などという存在はもうない。多様性を認めつつ、多様性を認めないような考え方は一分の隙もなく攻撃されるような社会では、言動はいきおい慎重になる。

匿名性の海に沈めば、好きなことが言えるようになったが、評価を得ることも難しくなった。

こうした背景を持つ彼らの感じ方や考え方が異なってくるのは自明である。しかも、そうしたしくみを彼らに用意したのは、私たちの世代なのだ。

次のステップでは、ＡＩが決定したにもかかわらず、自分で決定したように錯覚させる知見と技術がもっと洗練されていくだろう。先にも述べたように、自分が状況をコントロールしているという感覚は、自尊心を醸成するために極めて重要である。そして、日本の若年層の自尊心はとても低い水準で推移している。

自分で決めているという感覚が得られ、でも実は高度に社会を最適化できるＡＩの意思決定がそれを促しているのであれば、まるで家畜のようではあるが（筆者もその家畜のなかの一人だ）Ｗｉｎ-Ｗｉｎの関係なのかもしれない。

世界を惑わせるフェイクニュースなどの事象も、個々の人間が真偽を判定するから混乱が生じる。ファクトチェックはＡＩに任せてしまえば、全体としてフェイクを真実と認識してしまう件数は減るだろう。

3

ESCAPE
FROM
THOUGHT

第3章

企業が主導する「倫理」

――誰のためのシステムか?

そこもまたミァハにとっては
ハーモニーのとれた場所ではなかった。
我々の世界はハーモニーを獲得しようとして
大量の自殺者を生産する、
真綿で首を絞めるような強権的な優しさが
支配する社会だったからだ。

伊藤計劃

マーケティング用語としての「AI」

これまで、意思決定を放棄しつつある現状、能力の外部化にともなう社会の変化などについて論じてきた。ここでいまいちどAIとは何かについて確認しておこうと思う。

AIはArtificial Intelligenceの略で、むろん人工知能のことなのだが、専門の研究者ほど「AI」という言葉を使うことに慎重である。

彼らの主張では、人工知能などまだ完成していないのだ。

これは、知能とは何かという、人類が何千年も考えてきていまだ結論が出ない話題に帰着してしまう。1冊や2冊の書籍で論じられるような話題ではないので、本書ではそこには触れないことにする。

人間の脳を模倣するシステムが必要なのか、同じようなことができれば駆動原理はまったく別でいいのか。

1つのシステムで感情なども含めた人の総体を代替できる必要があるのか、1つのシステムが実現するのは人間の一部の能力を切り取ったものでいいのか。

表層をなでただけでも、システムの基本的な方向性を決めるこうした事柄にすら合意がないといえる。

古典的な人工知能研究では、少なくとも後者の問いに関しては、「人の総体を代替」が目標だった。だから、まだ実現できていないし、いつ実現するのか、実現可能かどうかすらわからないという言い方になる。

この見地に立てば、いま使われている「ＡＩ」は消費者に訴求することだけが目的のマーケティング用語だ。

一方で、ＡＩはこれだけ巷間に膾炙してしまった。また、昨今の「ＡＩ」は、確かに過去の人工知能（の途上にあったもの）と比べると、飛躍的な進歩を遂げている。だから、あまり躊躇なくＡＩの名を冠してしまってもいいのではないか、とする考え方もある。

強いＡＩ、弱いＡＩ

ここで、強いＡＩと弱いＡＩという言葉を覚えておきたい。

強いＡＩとは、おおむね人間の脳の模倣を志向したものである。脳は情報処理機構なので、同じ情報処理機構であるコンピュータで模倣できるはず、感情も含めて再現できるし、人間と同じことができる、とする捉え方だ。

弱いＡＩとは、コンピュータでは脳の振る舞いを模倣することは不可能か、少なくとも現時点での技術ではできず、限局されたシチュエーションで、ある問題に対して答えが出せればいいというものである。

感情の再現など想像の埒外であるが、それは必ずしも弱いＡＩが感情を扱えないことを意味しない。ＶＲを使ったリハビリの例でも確認したように、感情がなくても、感情に起因する物理的な動作などを模倣することで、感情があるかのように見せかけることはできる。そもそも人間は、物にすら感情移入したり、感情を見出してしまう生きものなので、感情の問題を機械で「扱う」ことはできる。

本書はＡＩの捉え方について、便宜的に後者の考え方を採用して、書き進めている。断りなく「ＡＩ」と書いてあれば弱いＡＩのことだ。量でいえばこちらの考え方に馴染んでいる人のほうが多くなっているだろうし、ＡＩの語が頻出する書籍で「いわゆるＡＩ」「弱いＡＩ」などと書いてあると、読みにくいからだ。

この問題をややこしくしているのは、現実の市場でひどい使われ方も散見されるという事実だ。古典的なアルゴリズムで作られただけの、数十年前と変わらない構造を持つ単なるソフトウェアやサービスをＡＩと呼んで売っている例はままある。これは本書では取り扱わない。

中国語の部屋

たとえば、先にあげた「人間の脳を模倣するシステムが必要なのか、同じようなことができれば駆動原理はまったく別でいいのか」は、あまりピンとくる表現ではなかったかもしれない。この問題でよく引き合いに出されるのが飛行機である。

「鳥のように空を飛びたいなあ」と思ったとき、その願いを忠実に実現するなら、羽ばたき型の飛空装置を考えつく必要があるのだろうが、現実の飛行機はそうはなっていない。多くが固定翼にターボファンジェットをつけて揚力を得ている。少なくとも、人間にとってはそのほうが都合がいいからだ。

同じように、コンピュータによってＡＩを実現するとき、本物の人間と同様の受け答えができるのならば、別に脳と同一のメカニズムで動いていなくてもいいではないか、という話である。

もう一つは「中国語の部屋」[*3-1]だ。窓口に中国語で書かれた質問を提出する。それに対して、中国語で適切な回答が返ってくる。とても知的な作業である。少なくとも、窓口の中にいる人は中国語を理解しているように思える。

でも、実はバックヤード（中国語の部屋）には部屋を埋め尽くすほどのマニュアルが完備されていて、「この文字列が入力されたら、この文字列を出力する」といった単純作業だけが行われているかもしれない。であれば、担当者は中国語を「変わったイラストだ」くらいにしか捉えていなくても、適切に業務を行うことができる。これを、「中国語を理解している」と言っていいのだろうか？　という思考実験である。

個人的には知性や意識の駆動原理が明らかになっていない段階でこれを論じてもあまり意味はないように思う（人間の脳も、この例と同じように言語を処理しているかもしれない）が、リテラシとして踏まえておくのはいいと思う。

チューリングテスト

「チューリングテスト」[*3-2]も、おさえておくとよい用語である。計算機科学に巨大な貢献をしたアラン・チューリングの名前から取られている。チューリングは「その問題は計算可能か」といった分野で功績があった。計算可能であればコンピュータで処理できるし、不可能ならば処理できないからだ。計算機科学にはノーベル賞がないが、それに比肩するものとしてチューリング賞がある。これも彼の名前から取られたものだ。人工知能の父と呼ばれることもある。

その彼が考案したのが、チューリングテストである。

チューリングテストでは、あるシステムが人間的かどうかを判定する。具体的には、テストに参加する人がディスプレイとキーボードを介して（一般的なパソコンを想像すればよい）、テキストベースの会話を行う。会話の相手は人間かもしれないし、システムかもしれない。

いくつかの会話を交わした後で、会話相手の弁別ができなければ、試されたシステムは人間的だということになる。

かなり早い段階で、このテストに機械が合格することは可能なのでは？　と言われていた。友だちとの会話をテキストに書き起こしてみればわかるが、人間同士の会話には

［＊3-1］言語哲学を手掛けるジョン・サールが示した思考実験。AI分野でよく引き合いに出される。弱いAI、強いAIという用語を作ったのもサール。

［＊3-2］計算機分野の巨人、アラン・チューリングが提案したテスト。あるシステムが人間のように振る舞えるかを判定する。ただ、「人間のように」の本質はわかっていない。

思ったほどのバリエーションはない。もちろん、突拍子もない話題も混じってくるが、かなりの部分は定型文で処理できる。

それを覚えることはコンピュータには造作もないし、それも面倒ならば相手の言ったことをオウム返しにすればよい。カウンセラーがよく使う手法だし、私もしばしば使う。相手の話をよく聞いていなかったときに有効だ。単純で簡単だが、会話をあまり違和感なく継続することができる。

会話の模倣ならそのくらいのしかけで十分なことがある。スマートフォンに実装されているＡＩコンシェルジュのたぐいは、人のすべての問いかけに答えるような機能を持っていないが、このテクニックを使うことで、かなり会話（らしきもの）の幅を広げている。そこに感情を読み取る人も出てくるわけだ。制御されたシステムでしかないロボットペットや、ＡＩ搭載（といわれる）自律型掃除機などに感情を見いだし、愛着を抱く人は決して少なくない（ＥＬＩＺＡ効果[*3-3]）。

実際に２０１４年にはロシアのチームが開発したシステム[*3-4]がチューリングテストに合格した。もちろんこれは「機械が知能を持った」ことを意味しない。先ほどの中国語の部屋などは、チューリングテストへの反論から出てきた寓話である。

ただ、それをもってチューリングテストが役に立たないと批判するのは、チューリングに対してフェアではないと思う。チューリングはもともと、機械が人間らしく振る舞えるかどうかを判定するために、このテストを設計した。知能があるかどうかを測るテストではないのだ。そもそも、先にも述べたように知能の明確な定義自体がない。定義されていないものは測れない。

AIブームの変遷

さて、現状で言われている「AI」は、おしなべて弱いAIであることがわかった。その発展の足跡についても、少し触れておこう。

AIのブームは三度あった。いまは第3次ブームのさなかである。来ては去り、去っては現れは、どの分野でも起こる現象である。統計学ブームなどもそうだ。「これで世

[＊3-3] システムの中に人間性を見いだしてしまう傾向のこと。たとえば、Siri は現時点で単なる自動応答アプリケーションにすぎないが、利用者がSiriの中に個性や人格、自分との親密さを幻想すること。
[＊3-4] ウクライナ生まれの13歳の少年、ユージーン・グーツマン（という設定のAI）が、2014年6月7日（アラン・チューリングの祥月命日）に審査員の33％を納得させることに成功し、初認定された。

界のすべてを説明できる」といった言われ方は魅力があるし、実際にポテンシャルもあるので誰もが飛びつく。しかし、期待の大きさから幻滅が生じるのも避けられず、人が離れていく。しばらくすると技術的なブレイクスルーが起こりまた人が集まる、といったサイクルを繰り返す。

集中処理と分散処理もそうだ。コンピュータの資源は一極集中させたほうがいい。いや、分散配置したほうが効率的だといった論争は、クライアント／サーバ[*3-5]やクラウド[*3-6]にと形を変えて何度も繰り返されている。新しい技術が登場するたびに、これが最終回答だと喧伝されるが、しばらくするとその方式の欠点が目立つようになったり、対立する考え方の方にブレイクスルーが出るなどして、何度も何度も揺り戻るのである。

ＡＩの場合は、１９５０年代に第１次、１９８０年代に第２次のブームがあった。今は２０１０年代に勃興した第３次ブームがまだ続いている状態といえる。

第１次ブームのとき私はまだ産まれていないので、その熱量を実感を伴って描写することはできない。当時の文献から、新しいものが出てきた、人間の知能を複製できるかもしれない、フロンティアだ、といった興奮をわずかに垣間見る程度である。おそらくインターネット登場時の初期のように、「社会が根底から覆るぞ」と一部のインテリ層が舞い上がったことは想像できる。

第1次ブームと探索

新しいもの、コンセプトが先行するものは、ビジョンは美しくても実際に触れることができるまでにブレイクダウンされると、その落差に幻滅することが多い。第1次ブームのAIもまさにそのようなものであった。

このときのAIと呼ばれたシステムの構造は、探索を基本としている。将棋で次に何の手を指すか、迷路で次にどちらへ分岐するか、は抽象化すればグラフ化することがで

［＊3-5］コンピュータの役割分担の一形態。クライアントはサービスを依頼する側、サーバはそれに応えてサービスする側。身近なところでは、Ｗｅｂクライアント／サーバ型のしくみ。私たちは手元のスマホでＷｅｂクライアント（ブラウザ）を動かし、インターネット上のどこかにあるＷｅｂサーバにＷｅｂページを見せてもらう。

［＊3-6］コンピュータの役割分担の一形態。発電になぞらえて説明するなら、手元のパソコンは自家発電に近い。送電網（インターネット）が未熟な間は、自宅に発電機を置いておくことに意味があるが、送電網がしっかりしてくると発電所（クラウド）から処理した結果だけを送ってもらい、スマホ（発電能力は低い）で表示するほうが効率がよくなる。クラウドの実体はインターネット上の巨大なデータセンタ。

［＊3-7］頂点から末端へ向けて、枝分かれしていくデータ構造。ある分岐点から枝分かれした先は、左側は分岐点より小さい値を、右側は分岐点より大きい値を持たせることで、特定の値を素早く探し当てることができる。

きる（探索木[*3-7]）。

次々に分岐するグラフを最後まで突き進んでいけば、どんな結末が待っているのかすべて試すことが（かかる時間を無視すれば）できる。膨大な数の失敗を繰り返すことになるが、そのうちの一つでも正解（将棋で勝つ、迷路を脱出する）にたどり着けばそれを誇らしげに提出すればよい。

第1次のＡＩブームはそれなりの成果をもたらしたが、多くの人は幻滅した。理由はまず扱える問題の狭さである。上手にグラフ化できるものはいい。将棋も迷路もルールが単純で明快である。判断すべき内容も、ここを左に行くか、右に行くかといった評価しやすいものだ。

しかし、私たちがふだんの仕事や暮らしで「ちょっと手を借りたい、助けてほしい」と思うときの判断や思考プロセスはもっとずっと複雑である。それに適用することはできなかったのだ。

また、将棋やチェスといった明確なルールを持つ問題であっても、最終的な正答は得られなかった。「この考え方で計算していけば、必ず正しい答えを導ける」とわかっていても、その計算の量が膨大すぎて、種としての人類が繁栄している間には結果が出てこないのである。

「結局、おもちゃではないか」と、最初に披露されたときのスマートフォンのような評価を受けて第1次ブームは衰退した。

第2次ブームとエキスパートシステム

第2次ブームは1980年代に到来して、けっこう長く続いた。1990年代の後半、私は大学院生だったが、まだブームの残り火があってそれを体験することができた。このときのキーワードはエキスパートシステム[*3-8]だった。私も指導教官にさんざん聞かされた言葉である。

エキスパートシステムとは、専門家の代わりになるAIである。具体的には医師や税理士の代わりになるAIなどが提案された。ずいぶん大きく出たものである。

第1次ブームのときのように、これは人間だろうか、人間だとすると標準的な人間か

[＊3-8] 人間のエキスパートを模倣しようとしたシステム。知識ベースと推論エンジンからなり、形式化された知識から、推論エンジンが結論を導く。人間の知識の形式化に手間がかかること、形式化しにくい知識があること、機械学習が普及したことなどから下火になったが、用途と合致する分野ではいまだ強力なシステム。機械学習が苦手とする思考プロセスの可視化も行いやすい。

そうでないのか、もし体温が標準から外れているのだとするならば異常な状態だろうか、その異常さの原因は風邪なのか恋なのか、などとやっていたら使い物にならない。

そこでショートカットが提案された。専門家が持つ知見をデータベース化するのである。AIにあらかじめ知識を授けるようなやり方だ。

将棋で言えば、初手から「ルール上可能なすべての手」を考えさせるようなことはせず、こうするのが正しいという知識を示しておく。飛車と玉[*3-9]は接近させない。打撃陣形の軸である飛車と、守備陣形の中核である玉が近くにあることは駒の効率から見て背理するし、実際に飛車の周囲では激しい戦いが起こることが多い。流れ弾で玉が詰まされたらそれで終わりである。

厳密に考えれば例外はいくらでも出てくるが、人間の思考の射程はそんなに長くないので、多くの将棋指しがきちんと読むことを諦めて「そういうもの」として処理をし、飛と玉を離す。ほとんどの場合にそれで正解だ。守備陣形は金銀3枚、歩越し銀にはしないなど、数多の先人が積み上げた知識を与える。これでだいぶ人間らしく振る舞えるようになる。実用性も増す。

専門家の知識を明文化できるか

実際、この時期の最も楽観的な予測では、「そのうち専門家がいらなくなるのでは」と言われていた。専門家と呼ばれる人も何らかの知識ベースに従って判断を下している。医者が風邪だと診断するのも、胃潰瘍だと診断するのも、いちいち診療の現場で考え、思いついているわけではなく、あらかじめたたき込まれた判断根拠に照らし合わせていくつかの分岐をこなしているにすぎない。

この人は青色申告にしたほうが節税できるのではないか、こっちの人は法人成りが妥当か、と税理士が判断するのも同じだ。

実際、それはその通りなのだろう。私も教員を長くやって、その間たいした成長は見られないが、カンニングを見つけるのだけはうまくなった。目を皿のようにしていなくても、なんとなく見つけてしまうのである。「それっぽい学生を発見するための知識を共有せよ」と言われたら、面倒だけどできる気はする。

［＊3-9］将棋の駒の一つ。これを取れば勝ち、取られると負け。チェスにおけるキング。対局の際、上位者が「王将」、下位者が「玉将」を使う。

しかし、まさにその「面倒」がエキスパートシステムのブームの限界だった。専門家と呼ばれる人の知識量とその膨大な知識を組み合わせて導き出す判断の分岐は無数にある。これをコンピュータにわかる形で明文化するのは、純粋に面倒くさい。

まして、専門知識を超えて、日常会話でもしようとしたらお手上げである。英語の勉強でも、「日常会話」は難しいよと言われる。何を聞かれるかわからず、極めて広汎な知識を身につけていなければ対応できない。教科書で習ったボブとアリスの会話を暗記しておけば、留学できるようなものではないのと一緒である。

もっと深刻なのは、知識をどう書けばいいかだ。人間の脳がどんなふうに知識を貯め込んでいるのかはわからない。でも、コンピュータが参照できるように書くならば、形式を定める必要がある。どうしたら最も効率よく知識を記述できるかは大問題である。知識同士をリンクさせて新たな知見を導くなど、想像もできないほどの難事業だ。

「居玉は避けよ」「二枚替えなら歩ともせよ」

いずれも格調高い将棋の格言である。実戦でも役に立つ。でも、この調子で列記していくのはいかにも大変だ。

そもそも例外が多すぎる。「二枚替えは基本的には得なんだけれども、やっぱり格言としてのインパクトも重視している言葉だから、額面通りに受け取って飛車と歩二枚を交換したらたいていはひどいことになるよ?」とか、いちいち注意書きしていくとしたら、すぐに万単位、億単位のルールへと肥大化していく。矛盾するルール同士の調整も必要だ。

エキスパートシステムではこれらを人間が管理する必要があったため、一定以上のルール群を構築することが難しかった。

子どもに教えるより難しい

コンピュータ業界の近年の潮流は、厳密な正解を長期間かけて出すよりも、近似値を素早く出すことに傾いている。ビジネスであれば、そのほうが使いやすいだろう。

近似値とはたとえばこんなことだ。円周率をちゃんと導くのは難しくて時間がかかる、というかちゃんと導けていない。正解はまだ出ていないのである。でも、近しい値を雑なやり方で導くことはできる。

4㎠の正方形に内接する円の面積はπ㎠になるはずである。そこで、正方形に適当に点を打つ。100個の点を打って、たとえばそのうちの80%が円の中に刻まれたとする。

ならば、4㎠×80％＝3・2㎠が円の面積なのではないかと推定できる。この方法で円周率の真の正解にたどり着くことはないけれども、3・14にだいぶ近い値をあっけないほど簡単に得ることができる。

知識の記述方法もこれと同じで、記し方、知識と知識の関連のさせ方は、そんなに厳密でなくてもよいかもしれない。そう発想されたことで、かなり応用範囲は広がった。

しかし、それでもなお、AIにどう知識を授けたらいいのか、どう学習させるかは大きな障壁だった。乳児や未就学児にものを教えた経験がある方は、あの苦労をイメージしていただくといい。どれほどの労力がかかるか実感できるはずだ。

実際には未就学児だって、自ら勝手に学んでくれるし、一度覚えたことを他の分野にも転用してくれる。AIにものを教えるのは、それを数段、数十段うわまわるほどに面倒で、困難だ。

つくるのが難しく、その上あまり役に立たないエキスパートシステムは、報道されることがなくなり第2次ブームは去った。しかし、この時期にじわじわと勢力を広げたのが機械学習[*3-10]である。

第3次ブームと機械学習

私は将棋が好きなので、機械学習を目にする機会が増えたと、まずこの分野で実感した。2005年に将棋ソフトBonanza[*3-11]が登場してからである。

機械学習というと、AI自身が何もかも自分で学んでくれるイメージがあるが、現実はそんなに甘くない。Bonanzaの場合は局面を評価する特徴の重みをいじってくれる。将棋の盤面を見て、どちらが優勢かを判断する根拠はたくさんある。先ほどあげた飛車と玉の位置関係はその一つである。その他にも、駒得[*3-12]をしているか、飛車角の動線上に駒があるかなど、数え上げればきりがない。駒割[*3-13]一つ取り上げても、王は取られたらおしまいだから無限大の価値をつけるとして、歩は1点とか、香は2点とかやっていく。ふつうは大駒[*3-14]の価値が高いが、金と角は微妙だぞとか、桂があれば詰む局面なら桂の価

［＊3-10］データから、パターンや判断基準を発見し、自分自身を自動的に発展・最適化させていくシステム。教師あり学習、教師なし学習、強化学習などに細分化される。

［＊3-11］電気通信大学の保木邦仁氏が開発した将棋ソフト。おそらくメジャーな将棋ソフトとして初めて評価関数のパラメータを作るのに機械学習を採用した。

［＊3-12］将棋において、相手よりたくさん駒を入手したり、より価値の高い駒と交換すること。

［＊3-13］ここでは、保有する駒の数や種類のこと。簡単な戦況判断ができる。

［＊3-14］飛車と角のこと。他の駒より性能値が高く、大切な駒。物理的にも大きく作られている。

値は無限大だろうとか、色々ある。

Bonanza 以前の将棋ソフトでも同じやり方をしていたのだが、その特徴を見つけるのも人間だし、それぞれの特徴に重みを付けるのも人間だった。だから、将棋ソフトを作る人はある程度の棋力[*3-15]を持っていたし、開発に莫大な時間を捧げていたのである。

先ほども述べたように、飛車と玉の位置関係とか、飛車角の動線上に駒があるかどうか、歩には何点、香には何点をつければいいか、さらには飛車を失うけれども（駒割で大きな減点がある）、相手の陣形を崩せる（大きな加点だ）とき、どちらを優先したらいいのか、優先の度合いはいくらかなど、やり始めるときりがない。

Bonanza はここを自動化したのだ。重み付けを変えて、何度も対局を繰り返す。変更するごとに指し手は変わる。そのうち、プロの指し手に最も近い指し手が得られた重み付けを採用していけばよい。

まだまだ人間が介入しなければならない要素は多いが、これで劇的に学習の手間と時間を減らすことができる。

機械学習がビジネスの現場に投入されるようになってから、ある文章から要約を導き出すＡＩや、翻訳のＡＩの発展は目に見えて加速した。

「お手本」の有無

学習のやり方は、教師あり学習と教師なし学習に分けることができる。お手本の有無である。先ほどのBonanzaの例はプロ棋士の指し手というお手本があるので、教師あり学習になる。

初めての人向けのAIの授業などでよくやるのが写真の分類だ。この写真は土管、この写真には金魚が写っていると情報を付加して（タグ付け）おいて、そうした写真を何万点も見せるのだ。すると、AIは土管の特徴、金魚の特徴を蓄積していき、最終的には土管と金魚を見分けられるAIに仕上がる。学習したのだ。

あらかじめ学習できるところまで仕立てられているAIツールはたくさん公開されているので、学習用のデータさえそろえれば簡単に試すことができる。学習用のデータも公開されているが、そのデータに自分が使いたい画像や、音楽があるかは別問題である。公開されているようなデータではつまらないね、ということになって、暇そうなゼミ生と「これは萌えキャラか、非萌えキャラか」を弁別するAIを育てようとしたことが[*3-16]

[＊3-15]将棋を指しこなす能力のこと。アマチュアだと10級～1級、初段～六段のように表す。
[＊3-16]「萌え」と呼ばれる特殊な感情を喚起するキャラクターのこと。

あるのだが、学習用データを作るのが大変で頓挫したことがある。

萌えキャラの画像、非萌えキャラの画像を数万点集めてタグ付けするのがけっこう大変だし、ものによっては「これは萌えだ」「これは萌えではない」で喧嘩になることもある。試すなら、人間内で評価が確定しているもののほうがやりやすい。ハムスターとシマウマの違いや、ラーメンとうどんの違いはかなり明瞭なので、最初に弁別器を作る練習をするときにはこちらのほうがおすすめだ。

教師なし学習はお手本なしで学習を行う。そんなことが可能なのかと勘ぐってしまうが、データの傾向をつかむことができたりする。適用範囲は広い。たとえば、大学の出席日数に関するデータを入力して、半期の講義に全出席したであろう15回付近に集中しているグループと、10回付近に集中しているグループなどを見つけてくる。なぜその付近に固まっているのかわからないこともあるが、この例でいえば、前者は真面目な子のクラスタっぽいとか、後者は単位が取れるぎりぎりの日数を狙った子のクラスタだな、などと推論することができる。

脳神経細胞を模倣した学習モデル

学習をするときに、どんなモデルを使うかは長らく考えられ、発案され、洗練されてきた。現時点で重要視され、成功も収めているのがニューラルネットワーク[*3-17]である。これは人間の脳にある神経細胞（ニューロン）のネットワークを模倣したものだ。

たとえば、目前の物体がラーメンなのかうどんなのかを判断しようとするなら、次のようなニューロンを作ってみることができる。

本物のニューラルネットワークはこんなにいい加減なものではないが、雰囲気はつかんでいただけると思う。これで、「どうも判定結果がおかしい」「誤答である」と感じられるときは、重み付けを変えることになる。実はラーメンにとってメンマの有無が決定的に重要な要素であるなら、「メンマは存在感を主張しているか」の重み付けを大きくとったときに、素晴らしい結果が得られて、学習が完成していくことだろう。

もちろん、現実世界はこんなに簡単なモデルで表せるほどシンプルではないので、ニューロン同士を接続して、魑魅魍魎のようなネットワークができあがっていく。重み

［＊3-17］ノードを神経繊維のように相互接続するモデル。前のノードからもたらされる入力が、次のノードの出力を変えていく。

ラーメンかうどんかを判断するニューロンのイメージ

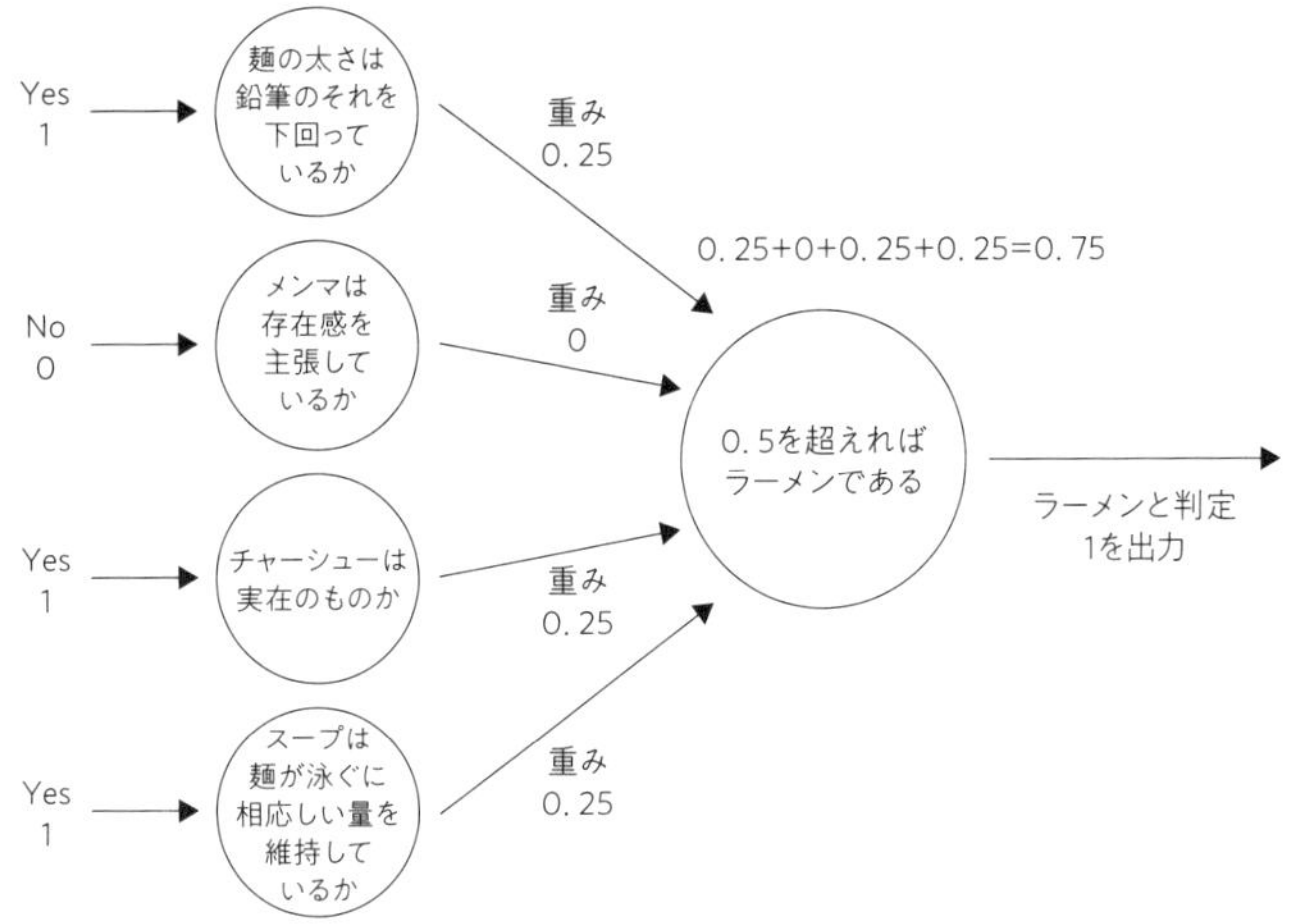

出典：筆者作成

付けに関しても、無数の組み合わせがある。でも、広い問題分野に適用できるモデルなのは間違いがない。ニューラルネットワークは注目を集めた。

そして手に負えなくなった

しかし、ニューラルネットワークは期待に反してくすぶる日々が続いた。複雑怪奇な実社会で役立つ、つまり現実に適応できるモデルを作るならば、理屈の上ではニューラルネットワークの階層を増やしていけばいい。

なのに、階層を増しても、モデルは現実に近づかなかったのだ。理由はいくつかある。何層にもわたる（ディープな）

ニューラルネットワークなど、複雑すぎて人間の手に負えない。まず、作るのが大変である。

仮に腹を据えて深い階層のニューラルネットワークを作ったとしよう、何を特徴とするのかも頑張って決めた。でもダメなのだ。最初の階層で決めた重みがよかったのかどうか、次以降の階層に吸収されて、効果がよくわからない。変わってはいるはずなのだが、そんな繊細微妙な駆け引きの観察と評価は人間には無理だ。

ディープラーニング[*3-18]では、何を特徴とするのかをコンピュータ側に決めさせてしまう。それができるようになった理由は、コンピュータそのものの高速化とオートエンコーダ[*3-19]などの学習メカニズムの洗練があるが、その結果としてニューラルネットワークを多層化できるようになったことが重要である。それまでは3層が限界だったのだ。

問題が複雑になったときに、これが効果を発揮する。たとえば与えられた雑多なものが映っている写真に対して、第1層ではモノとモノとの境界線はどこかといった事象を

［＊3-18］ニューラルネットワークのうち、階層が4層以上のディープニューラルネットワークを用いて、機械学習を行うもの。
［＊3-19］学習を抽象化するしくみ。学習対象のデータのどこが重要なのかを、効率よく探索できる。また、学習データにあまりにも適応しすぎて、他のデータに対して汎用性がなくなってしまうこと（過学習）も防止できる。

抽出し、第2層では丸と四角を識別、第3層では丸の中から顔らしきものを識別し、第4層では同じ顔でも人間のものを拾う、といった戦略が取れるからだ。

ディープラーニングを使うことで、学習させることの困難は減じた。また、機械学習を適用できる範囲が拡大した。これが、第3次ＡＩブームの原動力になっている。私たちは、いまその地点に立っている。

ＡＩに不可能はないのか

これまでの話を振り返ると、ＡＩにはもはや不可能はないようにも思える。人間の歌声を模倣し、絵画を描く水準にまで到達している。しかし、やはりいまのところ人間を代替する可能性はおろか、その端緒にもついていないのが現実である。

何が問題なのだろうか？

まず、ＡＩは間違わないという前提に立つことはできない。それは、「現代のＡＩは『弱いＡＩ』しか目指していない。だから、論理的な正解ではなく、統計的に得られた近似値を見つけるだけでいいといった作られ方をしていて、そうである以上、究極の正解にはたどり着けない」といった水準だけの話ではない。たとえば、完璧なロジックの気象予測AIを作れたとして、そこにデータを入力する目となるセンサーが壊れれば、天気予報は外れる。

それをさせないためにセンサーをはじめとする機器を冗長化して、総体としては正しく機能するフォールトトレランス[*3-20]を目指すのだ、といった話はここではなしだ。システムはどう対策しても必ず故障する。人がどんなに気をつけても、病気にかかるように。

さらには、社会の主潮となる考え方が変わったり、周辺環境が変わったりすることで、正解自体が更新されることもある。1+1=2は正解だが、それは私たちが小学校で教わったいくつかの算数的取り決めの枠の中で考えるからである。与条件が変われば、これは不正解になり得る。仲人好きの親戚が結婚を強引に勧めるのは、昭和の時代は微笑ましいことと捉えられていたが、いまなら人権侵害である。正解は移り変わる。

AIはそれに追随、適応できるかもしれないが、学習の範囲と度合いによっては、異

［＊3-20］システムの一部に異常や誤作動、故障などが発生しても、全体としては問題なく動かし続けることを狙ったしくみ。対義語はフォールトアボイダンス。フォールトアボイダンスは、そもそも故障が起こらないように対策する。一般的にはフォールトトレランスのほうがコストを抑えられる。

なる判断を導き出すＡＩのインスタンス（個体）が現れるだろう。様々な考え方を持つ人がいるのと同様に、ＡＩも学習した内容により個々に様々な判断を下す。それはおそらく、「正解するＡＩ」のステレオタイプから外れたものになる。

いくつかの実例を、すでに私たちは知っている。

差別するＡＩ

Google で「白人」と画像検索すると、家族が微笑みあう写真や、少年が溌剌とスポーツをする写真が表示されるのに、キーワードを「黒人」に変えて検索したら逮捕時に取られた写真ばかりが結果として並べられた時期があった。

こうした事象は、誰かが気付いて声を上げると修正されるので、いまはそうした検索結果が出ることはない。だが、本稿執筆時点でも「白人　仕事」で検索すると綺麗なオフィスでデスクワークをする写真が並び、「黒人　仕事」で検索するとブルーワーカーの写真ばかりが出てくる。

私たちは、こうした事象にどう向き合うかさえ、態度を決めきれていない。この検索結果から、「白人ばかりが良いイメージではないか、これでは人種ごとのイメージが画像検索によって固まってしまう。だから、検索のアルゴリズムとパラメータをチューニングしよう」とやるのは簡単だ。

だが、それで「黒人　仕事」の検索結果がみずみずしい、希望にあふれたものになったとして、それは正しいのだろうか。ひょっとしたら、多くの黒人は身近に犯罪がある環境をアプリオリに与えられているのかもしれないし、不当に逮捕される確率が高いのかもしれない。デスクワークの仕事に就けないような差別があるのかもしれない。正義のための修正が、そうした事実を隠蔽する可能性もある。

Amazon でＡＩを利用した採用がすぐに打ち切りになったこともあった。女性差別があったからである。ＡＩは明らかに女性を採りたがらなかった。それが正しくないから、やめたのである。

だが、ＡＩが女性を嫌うことはない。そんな高度な感情を伴う機能をＡＩは達成していない。好き嫌いでなければ、なぜ Amazon のＡＩは女性を差別したのか？

採用における女性差別が横行していたからである。ＡＩは過去の事例から学び、最善のアプローチによって男性ばかりを採用した。慣行に沿うという意味では、ＡＩは正しかったのかもしれない。

また、（このケースにおいては事実ではないが）Amazon での業務は何らかの要因によって男性のほうが効率的に作業を進められる理由があり、それを検出したＡＩが男性ばかりを採用した可能性もある。あるいは Amazon 女子会社と Amazon 男子会社に分ければ、業務効率が増したのかもしれない。

答えのない問題に答えを与えるということ

Microsoft の会話ＡＩ「りんな」[*3-21]は、公開後に下ネタをしゃべり始めた。同様に Microsoft の「Ｔａｙ」[*3-22]はナチスを礼賛し始め、サービスが停止されたことがあった。どちらも、人間との会話の中で学習したからだ。下ネタ、ナチス礼賛はよくない、だから停止するというわけだ。当然の処置ではある。

しかし、一方で場末の酒場の与太話として、チラシの裏の落書きとして、そんなことが話され、書かれているだろうことも明らかである。人の会話を模倣することを目的とするなら、りんなもＴａｙも正しかった可能性はある。

ナチスや猥談はわかりやすい例だから、「そんなことおおっぴらに言っては駄目に決まっているじゃないか」と言いやすいのである。でも、これが妊娠中絶だと雲行きは怪しくなる。Apple の Siri は中絶の話題を扱えなくなったと報道された。もちろん、アメリカにおいて（日本でもそうだが）中絶は極めてセンシティブな話題である。だからＡＩが話題として扱えないリストに載せて、システムからオミットするのだが、いままさに中絶の知識なり、中絶できる病院なりを切実に求めている人がいたとしたら、Siri がそれに反応してくれなかったことで、不利益を被ったかもしれない。

「正しい」と一口に言うが、正しさはそれ一つ取っても多層的で、一様に結論を導けるようなものではない。目的とすべき正しさすら不分明なら、不完全なＡＩがそれを実現することは不可能である。私たち自身が古典的なトロッコ問題にすら、解答を見いだせていないのだ。

トロッコ問題は20世紀中葉に提起された思考実験である。種々のバリエーションがあるので、ご存じの方も多いと思う。

[＊3-21] 8月7日生まれの会話ボット。ＬＩＮＥにアカウントを持ち、友だちになるとタダで会話につきあってくれる。受け答えはＪＫふうといえば、まあＪＫふう。女子高生ＡＩという触れ込みだったが、２０１９年に高校を卒業した。今では絵を描いたり、歌を歌ったりしている。歌手としての所属は、エイベックス・エンタテインメント。

[＊3-22] ２０１６年公開の会話ボット。19歳のアメリカ人、女性（という設定）。ブッシュ大統領（子）をサル呼ばわりするなど、攻撃的な言葉をたくさん学習した。

トロッコ問題

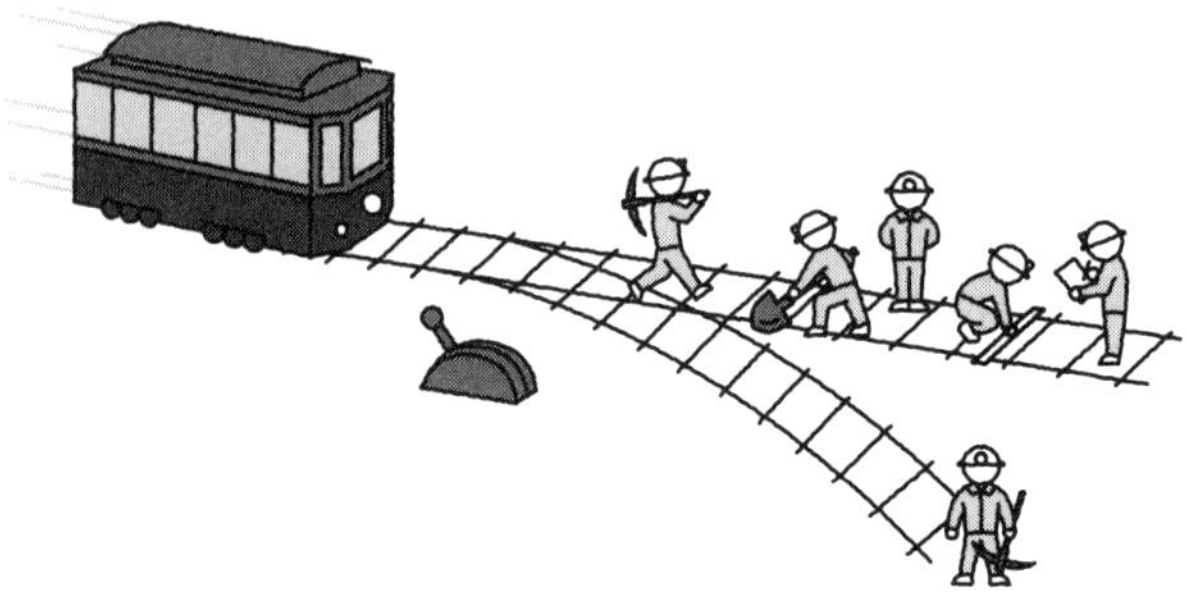

図のような軌道を持つトロッコ（路面電車）が、右側へ向けて走っている。途中には分岐があって、切り替え器が設置されている。既定の軌道を進んだ先には5人の人がいて、引き込み線の先には1人の人がいる。

トロッコは暴走しており、このままだと5人が亡くなる。線路の先にいる5人も1人もトロッコに気付いておらず、回避行動は期待できない。車などを持ってきてトロッコに激突させるとか、軌道を爆破してしまえといった（現実にも無理そうな）解決策は取れないものとする。

この場で取り得る唯一の手立ては切り替え器を操作することである。幸い、そこに人がいる。このとき、切り替え器の傍らにいる人は軌道を変えるべきだろうか？

何もしなければ5人が死に、軌道を切り替えれば1人が死ぬ。それこそ、ベンサムの功利主義であれば、5人が生き残るという幸福と、1人が生き残るという幸福の総量を比較し、切り替えるべきと判断するだろう。

しかしそのケースでは、人の手が加えられなければ死ななかったはずの人が1人亡くなることになる。それは端的に言って殺人ではないだろうか。となれば、手を加えない5人は事故死、手を加えた1人は殺人である。幸せの総量を大きくするために、1人の殺人を許容すべきだろうか。

実はこの聞き方だと、「しょうがないんじゃない？　非常事態だし」と1人を死なせることを許容する意見が多いことが知られている。切り替え器を動かす意思決定者が、直接的に人をあやめているわけではないので、そう言いやすいのだ。

だからこんなバリエーションがある。シンプルに軌道の先に5人がいて、途中に分岐などはない。軌道の半ばには人が2人いて、1人は電車に気付き、もう1人は気付いていない。気付いたほうがもう1人をトロッコの前に突き出せば、その人が轢死することによって電車は止まり、5人は助かる。

やっていることはオリジナルのパターンと一緒なのだが、より「殺す」という行為が直接的になっているぶん、問われた人に躊躇が出る。私だってこんな意思決定はごめんだ。どちらを選んでも一生ものの心的外傷になるだろう。後ろ指も指される。

橋問題とバイク問題

他にもいくつか派生問題を紹介しよう。一つは橋問題と呼ばれるものだ。対向一車線の橋があって、自動運転車が走っている。乗員は1名だ。すると、対向車線から子どもたちをたくさん乗せたスクールバスがやってきて、こちらの車線にはみ出してくる。このとき、自動運転車が取り得る選択肢として2つを設定する。衝突は避けられないので、できるだけ減速しつつぶつかる。もう一つは、急ハンドルを切って自動運転車を橋から落としてしまうことだ。

前者では多くの子どもが死傷することが予想される。

後者は子どもたちは助かるものの、自動運転車に乗っていた人は確実に亡くなる。死亡者の数は少なく抑えることができるが、自動運転車のAIはそのオーナーを積極的に殺したことになる。どちらがいいのか、という話である。

二つ目はバイク問題だ。

自動運転車が順調に走行していたところ、後ろから走ってきた車に追突されて前に押し出された。前方にはバイクが2台走っていて、接触は避けられない。ステアリング制御で、接触する相手をどちらか1台に絞ることはできる。

橋問題

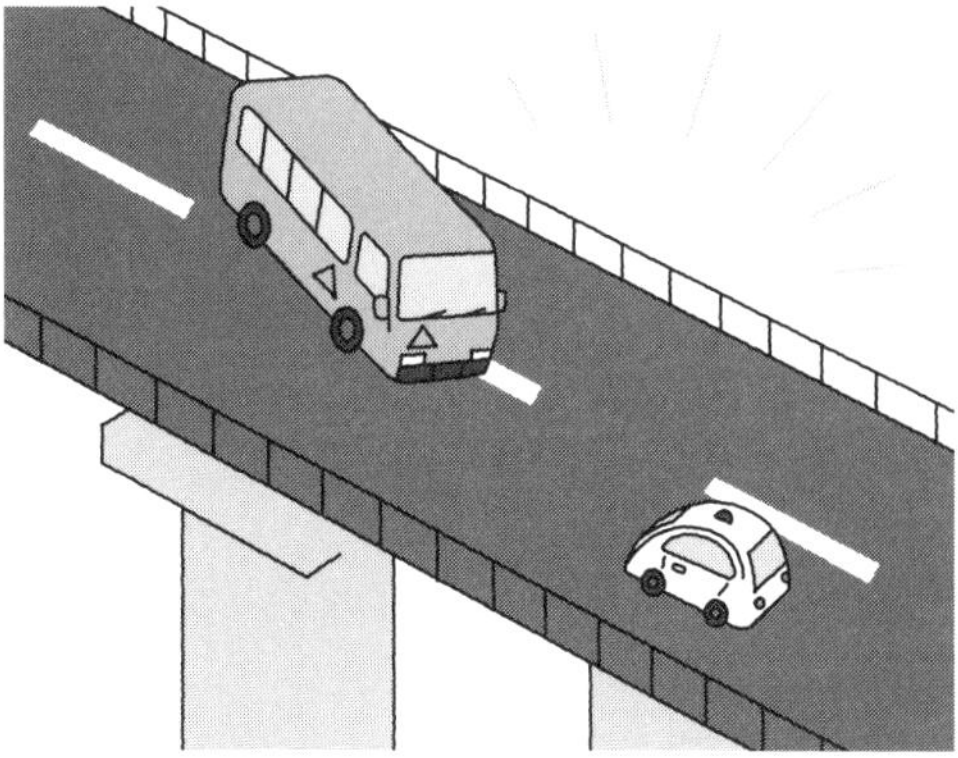

バイク問題

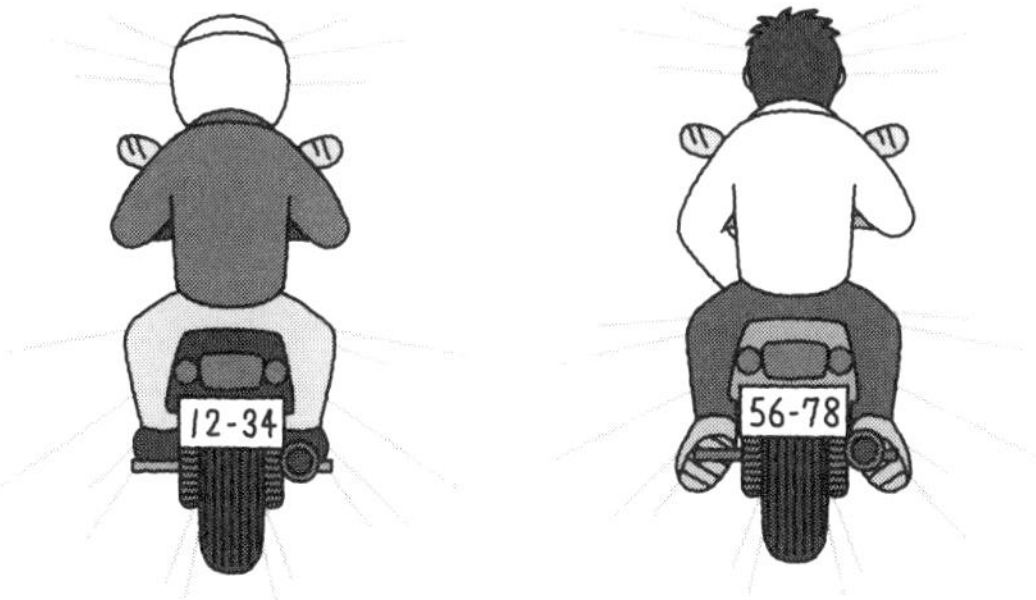

左のバイクはヘルメットをかぶっている。右のバイクはヘルメットをかぶっていない。2台にぶつかるよりはましと考えてどちらか1台を選ぶとして、最適な選択は左と右のどちらだろう。

左のバイクはヘルメットをかぶっているので、接触してもライダーが生き残る可能性は高い。しかし、このライダーはきちんと交通ルールを守ってヘルメットをかぶっていたのだ。真面目にルールを守っていたからこそ、接触先として選ばれ怪我をするなんてあまりにも不公平だ。

では、右のバイクならどうか。こちらを選べば死亡率が高くなる。ヘルメットをかぶっていなかったのだから自業自得だろうか。しかし、日本の法律では人を裁けるのは司法だけだ。ルールを守っていないから、こちらに当てようと判断することは、罰を与えることに等しい。いくら事故における緊急措置とはいえ、人に死を与えるような機能をAIに実装していいのか。

この種の議論は探せばいくらでも出てくる。それだけみんな興味があるし、AIによる自動運転車が公道を走り始める日が近づいていることを実感して、「正解」を探している。

しかしこの場合、正しさはないと考えるべきだ。少なくとも、「1＋1＝2」のようにほとんどの人を納得させる正解は導けない。

これをAIに判断させせなければならない。その日は意外にすぐそこの未来にある。

自動運転車が優先すべき命

少なくとも、完全自動運転車[*3-23]を作るのであれば、この機能は実装される。取り得る選択肢のどれを選んでも事故が避けられない状況で、AIは判断する。そのとき、たくさんの人を生き残らせる選択をすべきか。それとも、多くの人を殺しても、自分の車に乗っているオーナーの命を優先するべきか。AIに車を運転させるということは、人の命の値踏みをさせるということだ。

機械の判断だから公平、と無邪気に受け入れることはできない。すでに見てきたよう

［＊3-23］国土交通省では、自動運転車をその技術水準によって1～5にレベル分けしている。レベル1、2はドライバーによる監視が必要で、ドライバーズエイドの延長線上にある。レベル3以上ではシステムによる監視が前景化され、ドライバーは条件が整っている状態ではステアリングに手を添えるなどの運転行為、監視行為から解放される。最高位のレベル5では各種の制約がなく、いつでも自動運転がなされる。完全自動運転と称する場合、レベル5を指すことが多い。

に、機械も（人の目から見れば）不公平な行動を取る。

Google 検索の最初の謳い文句は、「人手を介さないから公平」だったが、人の手を離れればすぐに実現できるほど公平は易しくない。機械は汚職やひいき、差別には興味がないかもしれないが、与えられた目的に従い、過去のデータに盲従する。指示に悪意があればひどいこともするし、データに齟齬があれば簡単に間違う。

両手を耳の脇に掲げる。左手で右手首をつかもうと、左手を最短距離で移動させたい場合、どのような行動を取るだろうか。人間ならば、頭を迂回して左手を動かすだろう。だが、ＡＩは「最短距離」に愚直に従い、頭蓋骨を貫通させるだろう。

そうならないようにするのは、意外と難しい。

ここでよく出てくるのが、身体性の議論である。私は大学で最初にこれを習ったときに、なんでコンピュータやＡＩで身体の話をするのだと違和感を持った記憶がある。

しかし、限定された枠組みの中で演算するのではなく、人と同じ粒度での判断を繰り返すしくみを社会に展開するならば、身体性は重要である。人間同士がたいしたコンセンサスもなく似たような行動を取れるのは、身体に起因していることが多いからだ。

頭をぶち抜けば痛い、というか、死ぬ。だから、先の例で厳密な最短距離を採用するならば頭を貫通することが正しくても、人間はそれを行動の選択肢から除外する。嫌だからだ。機械は痛くない、だから人間と同じ行動が取れない。

ならば、痛みを検出するようなセンサーを機械にもつけようとなる。太陽が目を焼くことがないように視覚センサーも、大きな音からは逃げるように聴覚センサーも、と繰り返していく。大きな音が入力されたら、ニューロンに負のパラメータを入力して、その経路が発火しないようにすればよい。

しかし、だとすると、人間と同じ行動しか取れなくなるのでは？　生命がないからこそ、原子炉の中に飛び込むような任務に就いて欲しいときもあるだろう、それをＡＩが渋るかもしれない。

人間の痛みがわかる（ように振る舞う）ＡＩと、ただの雑兵としてのＡＩを作って、繊細微妙な用途には前者を、火事場に突入させる用途には後者を使えばよいのだろうか。ならば、自動運転車は人の痛みがわかる前者に運転してほしい気もするが、全員を助けられない局面で誰かを殺す判断ができずに、結局被害を大きくするかもしれない。

フィクションからＡＩの判断基準を考える

そんな面倒な判断をせずにすむように、ロボット3原則があるではないか、という意見もあるだろう。アイザック・アシモフ[*3-24]が提唱した、例のアレである。私もアシモフの作品は大好きだ。どちらかというと『ファウンデーション』[*3-25]よりも、『黒後家蜘蛛の会』[*3-26]派だけれども。

原文は Three Laws of Robotics だから、ロボット工学3法則のほうがいいのだろうか。語呂がいいので、本書ではロボット3原則で通す。原則は次の通りだ。なお、ロボットと書かれているが、実際にはロボットを駆動させる制御機構であるＡＩを拘束するものであるから、そのままＡＩの議論に転用できる。

第1条：ロボットは人間に危害を加えてはならない。また、その危険を看過することによって、人間に危害を及ぼしてはならない。

第2条：ロボットは人間にあたえられた命令に服従しなければならない。ただし、あたえられた命令が、第一条に反する場合は、この限りでない。

第3条：ロボットは、前掲第一条および第二条に反するおそれのないかぎり、自己をまもらなければならない。

しかし、社会を覆うような広汎な取り決めを、わずか3条で示すことはほぼ不可能な難題である。法体系の頂点にあり、シンプルに原理原則を示す役割を持つ憲法が103条もあることが端的にそれを示している。

たとえば、非核三原則は「もたず、つくらず、もちこませず」で、これを守っていれば確かに核戦争を自分が起こすことは不可能に思える。しかし、他国の核兵器や核施設をクラックして輸送・起爆すれば、事実上の核攻撃である。三原則に抵触せずに都市を灰燼に帰すことが可能だ。

ロボット3原則は、それが書かれた作品である『われはロボット』[*3-27]の中でも矛盾が指

[＊3-24] 20世紀を代表するSF作家の一人。ミステリーもいける。前者には『われはロボット』、ファウンデーションシリーズ、『神々自身』、後者には『黒後家蜘蛛の会』『象牙の塔の殺人』などがある。『われはロボット』で言及したロボット工学3原則はことに著名。

[＊3-25] いま入手できるものは、『ファウンデーション』表記が多いが、『銀河帝国の興亡』というタイトルに親しんだ読者も多いと思う。心理歴史学者が滅び行く銀河帝国の後を見据えて、人類の知識と技術を遺すべくファウンデーションの設立を目論む。シリーズの後半ではロボットが重要な役割を担う。

[＊3-26]「黒後家蜘蛛の会」という集まりに謎が持ち寄られ、漫談するお話。楽しそう。

摘されている。もちろん、それでストーリーが転がるわけなので、この矛盾はあらかじめ織り込み済みだ。

たとえば、多くの人を守るために危険な行動を取らなければならない人がいる。ロボットは能力的に、その行動を代行することができない。そして、その行動にはリスクがあるものの、必死に至るものではなく、非常事態下においては受容可能なリスクである。というか、むしろリスクを取らなければ、別のリスクが極大化する。

しかし、ロボットは第1条に拘束されて、人間をリスクある行動に送り出すことができない。この法則は人間を個と捉えるのか、群と捉えるのか、いかようにも解釈できてしまうし、そこを明瞭に定義できたとしても、トロッコ問題のように命の天秤へ到達してしまう。

そこまで問題を複雑にしなくても、第1条の実装は難しい。「危害を加えてはならない」はまさにその通りなのだが、どんな行動が人に危害を加えるかは実はとんでもなくスコープの広い問題である。ひょっとしたら、今朝の飲み物をコーヒーではなく紅茶にしたことで、人類が滅んでしまうかもしれない。その計算が現実的な時間の中で解を導くことはない。フレーム問題[*3-28]というやつである。

無人兵器の悪夢

また、AIを作り、育てた人間自身が条項を破らせようとすることもあるだろう。ロボット3原則は人間を一枚岩であるように仮定しているが、人間こそ意見集約が最も難しい生き物の筆頭だ。あちらの人間の言うことを立てれば、こちらの人間の利益を害するといった事例は社会の中に無数にある。

端的な例が軍事AIだろう。無人戦車や無人機の構想は古くからあった。戦闘に従事したとき、何よりも大切な資源である人間を損なわずにすむのであるから、発想としては自然だ。

すでに偵察用ドローンの分野で無人機は実戦投入されているが、ついに2020年にDARPA[*3-29]のAlphaDogfight TrialsイベントでAIが人間のパイロットに勝利した。

［＊3-27］アシモフが30歳のときの作品。ロボットものの古典。ただ、チャペックの『ロボット（R.U.R.）』は1920年なので（アシモフが生まれた年だ）、そこからは30年が経過している。幼少期に、『くるったロボット』として手に取った読者も多いだろう。

［＊3-28］コンピュータとそれを駆動させるアルゴリズムが、自分に関わるものだけを上手に抽出できないこと。ある問題を解決しようと試みるときには、それに付随する様々な別の問題にも対応する必要がある。しかし、無数にあるそれらの問題に応じるためには現在のコンピュータでは処理能力が足りない。現実的には目的と関わりのありそうなものにのみ対処できればよいのだが、「関わりのあるもの」を選ぶのが至難だということ。

［＊3-29］米国国防高等研究計画局。インターネットの基礎研究を行った機関。

無人戦闘機

アメリカ空軍研究所が開発中のXQ-58Aヴァルキリー。滑走路不要とされている。
©ZUMAPRESS.com/amanaimages

もともとAIが強いであろうことはわかっていた。軍用機は、特に制空戦闘機は極めて高度な機動を行う能力を持っている。それを抑制して使っているのが現実である。もちろん、戦闘機を構成する最も脆弱なパーツである人間を守るためだ。

戦闘機は構造上10G以上の負荷にも耐えられるようになっている。しかし、人間はこのような負荷に耐えられない。簡単にブラックアウト[*3-30]やレッドアウト[*3-31]を起こして失神してしまう。耐Gスーツでブラックアウトはやや抑え込むことができるが、それでも実用上は瞬間的に8~9Gに耐えるのが限界といわれている。

　ＡＩはこの限界を易々と突破できるので、人間から見たら無茶に感じられる空戦機動ができる。人を殺傷することに葛藤も迷いもなく、長時間の任務に従事しても疲労しない。人が優秀なパイロットになるためには数千時間の訓練期間が必要だが、戦死したり引退したりするとそれは失われる。でも、ＡＩであれば最初に学習時間はかかるものの、それはコピーすることができ撃墜されても失われない。良いパイロットになり、人間を凌駕することは確実だったのだ。

　AlphaDogfight Trials はシミュレーションだが、飛行機の自動操縦技術自体は成熟の域に達している。旅客機の航法はほぼ自動操縦に頼っているし、無人偵察機のＲＱ－４グローバルホークはすでに実戦投入されて久しい。対向車や子どもがいつ飛び出してくるかわからない自動車に比べれば、むしろ無人化は容易である。シミュレーションシステムの知見の多くはそのまま実機へ移植でき、早晩実機を使った模擬戦闘でも人間のパイロットに勝つことになるだろう。


［＊3－30］血液が脳へ供給されなくなることによる酸欠現象。

［＊3－31］血液が脳へ供給されすぎることによる視野の赤化現象。

これは、味方にとっては福音だが、敵にとっては悪夢である。ＡＩやロボットを相手に命を散らすことほどむなしいことはないだろう。そして、ロボット３原則はこの問題に有効な回答を示せない。戦闘ＡＩが３原則に抵触することは明らかだが、戦争という状況に陥れば「敵を殺さない限り、味方が死ぬ」、あるいは「敵戦闘員を無力化しなければ、味方の民間人が殺される」といった局面がいくらでも生起する。

そのときＡＩはどう動作するべきなのか？　トロッコ問題を持ち出すまでもなく、誰も答えを出した者はいない。万人を納得させる回答を思いつくことは、この先も無理だろう。

ＡＩ対ＡＩの戦いが始まっている

ＡＩ戦闘機に一方的にやられるのが嫌なら、防衛側の邀撃機《ようげき》もＡＩ化するべきだろうか。何もかも無人化してしまえば、戦争で人が死ぬことはなくなるかもしれない。でも、その戦争は何のためにやるのだろう？　もしも人が死なないとすれば、戦争を止めようとする力も働かず、昔日の『スタートレック』[*3-32]のエピソードのように、何百年間も延々と戦争をやり続ける羽目になるかもしれない。

攻める側もAI、守る側もAIという構図は、サイバーセキュリティの分野ではすでに現実のものになっている。卑近な例をあげるなら、ポートスキャン[*3-33]による攻撃準備は明らかにAIに任せたほうが効率がよく、それを防御するために不要な空きポートを調べる作業も同様である。

ディープフェイクを作る技術、それを見抜く技術、道路標識を識別して安全に運転する技術、道路標識を偽装して運転を誤作動させる技術、どれもAIが欠かせない。私たちの安全はすでにAIによって守られ、AIによって侵食されもしている。

さらに悩ましいのは、この大きすぎる課題に挑戦し、解決しようとする主体が分散していることである。トロッコ問題では命の選別をする。これは避けて通れない。でも、その問題にどんなアプローチをするかに直面しているのは、たかだか一企業の一チームなのだ。私たちはあまりにも重い決断を企業にされてしまっているし、強いているとも

[*3-32] SFの代名詞的な作品。ミスター・スポックやカーク船長などの名キャラクターを生んだ。初放送は1966年のテレビシリーズ版。日本では『宇宙大作戦』の邦題で放送された。極めて息の長い作品で、現在に至るも派生作品が制作され続けている。

[*3-33] コンピュータへの不正接続の準備として多用される技法。コンピュータは対外的な通信インターフェースとして多数のポートを持つが、どのポートが利用可能か（不正接続の余地があるか）を手当たり次第に試す。

いえる。
さすがにこの状況を看過できないと考える人が増えたのか、後述する「人間中心のＡＩ社会原則」のように、この問題に国が積極的に関わる機運が高まっている。一開発者がすべての責を負うような状況よりはよほど健全だが、まだ端緒についたばかりで、内容も抽象論の域を出ない。

検討する主体が国でよいのか、といった議論もある。開発ガイドラインを定めるのが国ならば、国によって異なるＡＩが育つかもしれない。多様性や個性と言えば聞こえがいいが、Ａ国の自動運転車とＢ国の自動運転車で異なる挙動を示すなら、ある国の製品に人気が集中したり、自動運転車同士の事故率が高まる事態も想定される。

また、ＡＩを倫理的に拘束するガイドラインの策定が、欧米や日本を中心に行われていることを批判する意見もある。倫理は地域や民族によって異なる。今まで国際標準になった規約の動向を鑑みると、いま各国が策定しているガイドラインのうち、有力なものが国際規約化する可能性が高い。グローバルスタンダードとなったものが、実は西欧の狭い価値観を反映しただけの規約になってしまう可能性は十分にある。

多様性を認めると言いつつ、その多様性は西欧の目に映るレンジ[*3-34]内での多様性であり、その枠を外れる真の多様性、すなわちアジアやアフリカの多様性はなかったことにされる可能性である。

やさしい嘘はいらないのか

また、第1条から第3条に抵触せずに、ＡＩが人間に対して嘘をつくことはできそうだ。嘘をつくことそのものが危害と解釈できなくもないが、たとえば後に述べる地図サービスの例のように、「こっちが最短経路ですよ」と実は遠回りの道を示すことでその人の健康を増進する嘘だったらどうだろう。

結果的に自分の利得（健康）が増えるとしても、嘘をつかれたらなんだか嫌だなあと思う。でも、これについてどういう態度で応じるかも確定的ではない。

何度も取り上げているベンサムであれば功利主義の観点から、幸福の総量が増えるか

［＊3-34］この問題は他の分野でも早晩表面化するだろう。たとえば、現在運用されている医療用データセットは、まず白人のデータから構成される。そのデータセットから導かれる医療的示唆を他の人種や文化に適用したときに不具合が生じる可能性は否定できない。
このとき、おそらく研究者に悪意はない。単に取得しやすいデータを集めているだけである。人にとって多様性の確保や、自分が属する以外のコミュニティに視程を延ばすことは、それほど難しい。

らＯＫだ、と言うかもしれない。

自由至上主義だと個人の自由意志を最重視するから、このＡＩは受け入れがたいだろう。正確な情報なくして、自由な意思決定はない。たとえ最終的にそのほうが健康に寄与するとしても、真実が隠された情報には反発する。

近代自由主義はどうだろう。個々人に無制限の自由を与えると格差や差別を生んで、結局は個々人の自由が失われるという立場なので、権力によるある程度の介入を許す発想である。権力をＡＩに書き換えたときにどう反応するだろうか。

いずれも、長い歴史と多くの信奉者を持つ思潮で、ぽっと出の与太話ではない。それでも、これだけ「正しさ」の導き方には振り幅がある。このことだけを見ても、クリティカルな判断を行う者の椅子にＡＩをつけることの困難さがうかがえる。

いまは、こうした面倒ごとから目を逸らして、あるいは目をつぶって、ＡＩの正の側面に注目することで技術開発と社会実装が進んでいる状態である。確かにＡＩはうまく利用すれば大きな利益を得られるし、出遅れることによる不利益も容易に想像できる。

だからできるだけ理論も洗練させたいし、技術も磨きたい。そこに間違いはないのだが、ＡＩが徐々に高度で複雑、かつ重要な意思決定に関わってきたときに、それをどう取り扱うかは熟慮しておかないと、「想定と違う未来」に漕ぎ着いてしまうだろう。

そして、出来上がってしまったシステムを、後から組み替えることはとても難しく、高コストで、誰もやりたがらない。

人間中心のAI社会原則

ところで、日本政府はかなり早い段階で「人間中心のAI社会原則」[*3-35]を公表した。私は色々な本で、日本はルールを守ることは熱心だが、作ることに関心がないと批判したが、AI問題については出足が早かった。

現時点では、すごく頑張った内容だと思う。でも、まだまだ決めねばならないことはたくさんあり、ここに記されていることだけでも、どう実現したらいいかわからないことばかりだ。

説明責任は近年人間に対しても強く求められるようになったが、たとえばディープ

［*3-35］内閣府 総合イノベーション戦略推進会議が策定した原則。「AI-Readyな社会」への変革をにらみ、AIを積極的に社会実装していくに際して、その影響を検討し、研究開発などで考慮すべき問題を列挙したもの。
https://www8.cao.go.jp/cstp/aigensoku.pdf

人間中心のAI社会原則（一部抜粋）

(1) 人間中心の原則	AIの利用は、憲法及び国際的な規範の保障する基本的人権を侵すものであってはならない。
(2) 教育・リテラシーの原則	人々の格差や弱者を生み出さないために、幼児教育や初等中等教育において幅広くリテラシー等の教育の機会が提供されるほか、社会人や高齢者の学び直しの機会の提供が求められる。
(3) プライバシー確保の原則	パーソナルデータを利用したAI及びそのAIを活用したサービス・ソリューションにおいては、政府における利用を含め、個人の自由、尊厳、平等が侵害されないようにすべきである。
(4) セキュリティ確保の原則	社会は、AIの利用におけるリスクの正しい評価やそのリスクを低減するための 研究等、AIに関わる層の厚い研究開発（当面の対策から、深い本質的な理解まで）を推進し、サイバーセキュリティの確保を含むリスク管理のための取組を進めなければならない。
(5) 公正競争確保の原則	特定の企業にAIに関する資源が集中した場合においても、その支配的な地位を利用した不当なデータの収集や不公正な競争が行われる社会であってはならない。
(6) 公平性、説明責任及び透明性の原則	AIの設計思想の下において、人々がその人種、性別、国籍、年齢、政治的信念、宗教等の多様なバックグラウンドを理由に不当な差別をされることなく、全ての人々が公平に扱われなければならない。
(7) イノベーションの原則	政府は、AI技術の社会実装を促進するため、あらゆる分野で阻害要因となっている規制の改革等を進めなければならない。

出典：内閣官房 人間中心のAI社会原則（統合イノベーション戦略推進会議決定）

ラーニングはなぜその結果を導いたか説明することはできない。

そもそも仮にＡＩが自分の行動の理由を説明できるようになり、それが不道徳だったとしても罰することに意味はない。それこそ、身体性と絡んでくる話である。身体を持たないＡＩは、別に罰金や懲役は怖くないし、科せられたとしても実質的な罰にはならない。解体するぞと脅しても、特に感慨はないだろう。罰を受ける事実を不快と設定して、学習の重み付けを変更し、不道徳な行動を取らないようにチューニングすることはできるだろう。だが、それでもＡＩを据えたシステムで事故は起こる。だから責任だ罰則だという話になるのである（罰則を嫌がったり、恥だと思うような強いＡＩは当面作れない、というのが本書の立場である）。

つまり、ＡＩは責任を取ることもできないし、罰も与えようがない。となると、この説明責任はＡＩを作った人に帰属することになる。

これは相当難しいだろうと思う。先にも見たように、ディープラーニングの（他の手法でもそうだが）手法を採用すると、ある判断や行動を決定する因子はすぐに何億といった数になる。

それを公開することはできるだろう。技術の限りを尽くしたニューラルネットワークを、説明責任のために公開して模倣されることに難色を示す経営者や技術者はいるだろうが、やろうと思えばできる。

とはいえ、ニューラルネットワークを公開し、学習に使ったデータを公開し、現実の行動を引き起こしたデータを公開しても、それで説明責任を果たしたことにはおそらくならない。膨大すぎて全体像がよくわからん、ということもあるが、ある行動に至った理由を説明することは、思考プロセスを公開することとは違うからだ。

「なんで今日は雨なのに傘を持ってこなかったんだ?」という疑問に対して「彼女と相合傘で帰りたい下心があったからです」といった判断の根拠が知りたいのである。

これはニューラルネットワークを見ただけではわからず、人間が解釈する必要がある。膨大な広がりを持つニューラルネットワークを解釈して、「そうか!この因子がこの決定に大きく寄与していたのか!」と特定するのは並大抵な仕事ではない。今後社会に浸透するであろうAIのシステムすべてを解釈していくことは事実上不可能である。

仮にそれを報告してもらったとして、AIの正当性を主張したい検査者が嘘をついている可能性もあるので、第三者による検証が必要だ。それを繰り返していくと、社会が負うコストは無限大になる。

罰せられるのは誰か

ＡＩが何かやらかしたときの罰はもっとややこしい。先述の通り、ＡＩに罰を下すことに意味はない。プログラムを書き換えることがＡＩに対する罰だとする議論があるが、ＡＩはそれに対して何か感想を持ったり恐れたりすることはないので、罰として機能しない。罰したつもりになって人が溜飲を下げる効果しかない。事故に至ったデータを使った再学習でＡＩの精度を高めることはできるし、もちろんそれはしなければならないことだが罰ではない。

では誰に責任があるのか。法人か、それとも人間か。いまのところ誰がそれを負うべきかは不明である。

差別発言を行ったMicrosoftのＴａｙであれば、Ｔａｙの開発者がその責任を負うべきだろうか。しかし、開発者の水準で社会に与える影響をすべて予測することは困難である。情報技術に絡んだ従来の判例でも、バグに対して刑事罰は与えられていない。[＊3-36]

［＊3-36］プログラムにバグはつきものだが、そこで問われるのは契約不適合責任だ。修正や報酬の減額、契約解除を求められることはあっても、前科がついたりはしない。たとえば、２０１６年に発生した全日本空輸（ＡＮＡ）のデータベース障害などは、１００便以上の航空機を欠航させる社会的にもインパクトの大きなトラブルだったが、それで逮捕される者はいない。

【改正道路交通法 第七十一条の四の二の2】

自動運行装置を備えている自動車の運転者が当該自動運行装置を使用して当該自動車を運転する場合において、次の各号のいずれにも該当するときは、当該運転者については、第七十一条第五号の五の規定は、適用しない。
㈠ 当該自動車が整備不良車両に該当しないこと。
㈡ 当該自動運行装置に係る使用条件を満たしていること。
㈢ 当該運転者が、前二号のいずれかに該当しなくなった場合において、直ちに、そのことを認知するとともに、当該自動運行装置以外の当該自動車の装置を確実に操作することができる状態にあること。

自動運転のレベル

レベル0	従来の車
レベル1	走る、曲がる、止まる操作のうち1つが自動
レベル2	走る、曲がる、止まる操作のうち複数が自動
レベル3	すべてが自動だが、場所や状況によって人間が運転
レベル4	すべてが自動（条件付き）
レベル5	すべてが自動

出典：国土交通省資料などをもとに筆者作成

では、不特定多数の利用者に責任があったのだろうか。彼らがＴａｙに差別思想を吹き込まなければ不具合は起きなかったのではないだろうか。仮に、不特定多数の利用者に責任を負ってもらうとして、全員なのか、一部なのか。その一部を特定できるのか。また、利用者はそこまでの覚悟をし、知識をつけてからＡＩを利用すべきなのか。

そうとうややこしそうだし、不確定なことばかりである。実際に、責任の所在が曖昧になってしまうことも多い。でも、自動運転車はまもなく実現する。すぐに身近な問題になるのだ。

自動運転に関しては、２０２０年4月1日に改正道路交通法が施行された。もう法制度の分野では自動運転は現実のものになった。

第七十一条第五号の五の規定とは前方注意義務ではあるが、自動運転車を運転する者はよそ見をしていても、スマホをいじっていてもいいことになる。ついにながら運転解禁である。では、自動運転車にしておけば、運転をする人は何も責任を負うことはなくなるのか。実は（一）整備不良と（三）操作の交代がある。

整備不良は、従来の車であればタイヤの摩耗やブレーキの劣化といったハードウェア的なことを指していた。教習所でもそう教わった。でも、自動運転車になったからには、ソフトウェアの更新や最適な状態の維持もここに含まれるだろう。ほとんどは自動で行われるようメーカーが設定するだろうが、「運転」にいままでとは違った技量と知識が求められることになる。

操作の交代は、自動運転が不可能な状態になったときに運転を替わることだ。ここでいう自動運転車はいわゆる「レベル３」を想定している。

レベル2まではアシスト付きの従来車、レベル4からはSFなどでイメージする完全自動運転車である。レベル3は過渡的な状態だといえるだろう。だからこそ、運転は難しい。「あぶないときだけ運転を替わって」とAIに言われても、人間は操作もしていないものにそんなに集中し続けることはできない。突発事象に対応できない可能性は高い。どんなインタフェースがふさわしいかの研究もまだこれからである。

人の判断、機械の判断

運転操作の相反をどう解決するかも考えておかなければならない。

仕事や学校の作業でもそうだが、複数の命令系統があると動作は混乱する。「船頭多くして船山に上る」である。自動操縦で先行する航空機分野では、人の操作と機械の操作がまるで反対のものになってしまい事故に至ったことが何回もあった。1994年の中華航空140便墜落事故[*3-37]などが端的な事例である。

中途半端な自動化は危険なのである。人の介入は未だ大事だが、AIの判断プロセスに無制限に介入できるようだとAI化するメリットが損なわれるだけでなく、リスクも増大する。

だからこそ、人とAIの棲み分けをいまから慎重に検討しなければならない。法や倫理についてもそうである。

これは人と機械、どちらが正しい判断を下せるのか、どちらの判断を優先すべきなのか、という本書のテーマに直接関わってくる。

そして、今後はこれにAI同士の連携という問題も加わるのだ。いままでは人とAIの関係を考えていればよかった。しかし、自律して動作するAIがある程度社会へ進出してくると、AI同士が協調動作できるかがポイントになる。

イメージしやすいところで、ゲームの例をあげておこう。ドラゴンクエストやファイナルファンタジーのようなRPGを想像してほしい。こうしたゲームに出現するNPC（プレイヤーが操作しない登場人物）は、通り一遍のコードで書かれていた。村の入口にいつも立っている村人で、話しかけても「やあ！ぼくらの村にようこそ！」しか言わないのであれば、この方法で十分に実装できる。

［＊3-37］1994年4月26日、台北発名古屋行きの中華航空機（仏エアバス社製A300-600）が名古屋空港を目前にして墜落、炎上した事故。手動操縦と自動操縦の動作が相反していたこと、操縦士の自動操縦システムに対する理解の欠如が事故の原因とされた。乗員乗客264人が亡くなった。

しかしゲームの表現は美麗になり、こうした人として不自然な振る舞いやセリフは、プレイヤーに違和感を抱かせるようになってしまった。だから、いまではゲーム内の登場人物は（特にＡＡＡ《トリプルエー》と呼ばれるような、多くの資金を投じたタイトルでは）ＡＩによって動かすことが多い。そのほうが、状況に応じて自然な振る舞いをさせることができる。従来型のプログラムで同じことを試みるのは困難で高コストだ。

だが、ゲームを観察すると、ＡＩ同士の関係がうまくいっていないことがある。味方の進路を塞いでしまうくらいなら可愛いものだが、場合によっては同じキャラクターの上半身と下半身の動きが協調していないようなこともある。上半身は攻撃の挙動を、下半身は逃走の挙動を示すのだ。こうした情景を、数年後には実社会で見かけることになるだろう。

定義できないものの実装

企業は責任あるＡＩ（Responsible AI）の議論を始めている。長期的に彼らの利益になるからだ。最初に信頼を勝ち取った者が、最初に普及させる者になるだろう。そこには巨大な先行者利益がある。もちろん、責任あるＡＩを開発する目的が、利潤の追求であってもまったく構わない。結果が出れば、それでいい。

でも、責任は難しいのだ。自分が仕事で何かしでかしてしまい、上司から「責任の取り方を考えろ」と言われて、適切に身を処せる人がどれだけいるだろうか。頭を丸める? ひょっとしたら、誰の得にもならない、的外れな自己満足かもしれない。

説明可能、自己統制、公平、安全、倫理……。キーワードはいくつも出てくるだろう。しかし、これらは人間の中でも結論が出ていないものばかりだ。いますぐにでも実装可能なように喧伝されることがあるが、それは幻想だ。私たちは、所得の公平な再分配といった古典的な問題を、同じコミュニティの中ですら満足に解決できていない。

定義もできていないことを、AIに期待するのはナンセンスだ。

まして、各企業が個別に「公平」や「倫理」をAIへ実装し始めると、あるタイミングでその齟齬が表面化するだろう。A社の考えた公平と、B社の決めた公平が同じであることは、自明ではない。

中華航空の墜落事故では、人と自動操縦の行き違いが事故の原因になったが、これから起こる事故は、AIとAIの不調和がその誘い水になるかもしれないのだ。

説明責任一つとっても、まだ解決しなければならないことはうずたかく積み上げられており、それどころか存在すら認知されていない問題がこれから表面化するだろう。

人間が理解可能な形で実装されるＡＩである、Explainable AI（ＸＡＩ：説明可能ＡＩ）の研究も進められているが、まだ萌芽期といえる。そうした実態の中で、ＡＩの開発は進められ、私たちの生活には少しずつＡＩが判断や決定を行う製品が浸透してきている。

先に言及したように、上司の気まぐれにつきあうくらいならＡＩのほうがマシだといえる状況は多いかもしれない。実際、私自身もサービス残業や雇い止めをなくすためには、上司はＡＩにしたほうがいいと書いたり言ったりしてきている。でもその前提として、ＡＩとはそもそもどういうものなのか、ＡＩの説明責任をどう捉えるのか、ＡＩが何かやらかしたときには誰が責任を取るのかといったことは、どこかのタイミングできちんと考えなければならない。これをＡＩに代行してもらうことはできない。人間がやるしかないのだ。そして、ＡＩの技術的な進展と製品としての普及の動向を見れば、そのために残された時間は決して多くないと考えられる。

4

ESCAPE FROM THOUGHT

第4章

みんなが怖がる監視社会は本当に怖いのか

なぜ彼らは自身の隷属を
誇りとするのだろう、
なぜひとびとは隷属こそが
自由であるかのように
自身の隷属を「もとめて」闘うのだろう。

ジル・ドゥルーズ

『1984』に学ぶ監視社会

ＡＩとの未来を考えるときに、必ず出てくるのがディストピアとしての監視社会である。本章では、監視社会について議論していきたい。まず、基本的なところをおさらいしておこう。

監視社会は嫌なものだろうか？

嫌なものだとして、どのくらい嫌なのだろう。爬虫類嫌いの人が蛇に触るくらいの感覚か、人前でしゃべるのが苦手な人が選手宣誓をするくらいの嫌さ加減か。

ＡＩの社会への影響を考える上で、必ず出てくる監視社会について、この章では考えていきたい。

監視社会と聞いて多くの人が、『１９８４』[*4-1]を思い浮かべると思う。直接的に『１９８４』が出てこなくても、この作品で示された世界観は後の数多の小説や映画に影響を与えている。第5章で取り上げる『ＰＳＹＣＨＯ－ＰＡＳＳ[*4-2] サイコパス』もそうだ。

『１９８４』は、１９４９年に出版されたジョージ・オーウェルの作品である。オーウェルは１９５０年に入ってすぐ46歳の若さで亡くなるから、キャリアの最後期の作品といえる。物語の舞台は第三次世界大戦後に三国鼎立状態になった世界で、主人公は旧アメリカ、イギリス、オーストラリアを統べるオセアニアに暮らしている。三国はどれも体制を維持するために、似たり寄ったりの独裁的統治機構を作っている。オセアニアは社会主義を謳っているが実態は極端なピラミッド構造の社会で、頂点に位置するのが不可視の人物、ビッグ・ブラザー[*4-3]である。ビッグ・ブラザーは国内の至る所に配置されたテレスクリーン（情報端末と監視カメラを兼ねた機器）で国民を監視することができるが、その逆はない。国民はビッグ・ブラザーを見ることはできない。この点は重要と思われるので、後に詳述する。

［＊4-1］ジョージ・オーウェルが1949年に著した小説。全体主義的な監視国家を描き、現代的なディストピアの原型の一つになっている。

［＊4-2］Production I.G が2012年に制作したアニメーション作品で、断続的に続編が映像化され続けている。つづりはPSYCHO-PASS：精神の証明であり、人格障害を表す psychopath ではない。あらゆるデータが可視化される中で、人の精神状態も「犯罪係数」として可視化された社会を描写している。犯罪係数が閾値を超えると問答無用で逮捕、あるいは処刑に至る。1984的なディストピアの系譜に連なる作品である。第2期最終話で、常守朱の対抗者として配置される霜月美佳が真理に至る扉を開けようとせず、「この社会が大好きですから」と泣きながら哄笑するのは『1984』へのオマージュだ。

［＊4-3］『1984』に登場する全体主義国家の監視網の頂点に位置する人物。すべての国民がビッグ・ブラザーの視線を意識して生きているが、ビッグ・ブラザーの正体は不明で、実在しているかどうかも不分明である。

国家と社会はその存続のために高効率化されており、国家の存続のために不必要な情報は国民に開示されず、行動も許されない。たとえば、鼎立状態に陥っている三国は戦争の渦中にあるが、国民は実際にそれが行われているか否かをテレスクリーンによる情報以外では知りようがない。国民に提示される情報には強いフィルターがかかっている。国家にとって都合の悪い情報は抹消あるいは改竄され、反国家的な個人の思想も上書きされてしまう。

「2足す2は5である、もしくは3にも、同時に4と5にもなりうる」は、『1984』においてビッグブラザーと同じくらい有名なフレーズだ。現実の認識は国家というシステムによって歪められ、受容を余儀なくされる。

ベンサムのパノプティコン

このオーウェルの想像力を支えているのが、ベンサムのパノプティコンである。オーウェルは『1984』の出版直後に亡くなっており、残されている言葉からは共産主義を強く意識していたことがうかがえるが、着想の背景にベンサムの思想があったことは間違いない。

ベンサムは「最大多数の最大幸福」の人である。人となりは知るよしもないが、たぶん真面目な人だ。大衆の幸福を願ってやまなかったのだと思う。

彼の唱えた功利主義は、特に日本ではそのネーミングがもたらすニュアンスから、お金至上主義や利己主義のように解釈されることがあるが、ベンサムが唱えたのは「幸福を導く行為は良いこと」と、とてもシンプルである。

ただ、ちょっと変わった人ではあったのかもしれない。彼は法哲学者として膨大な量の仕事をこなしたが、一時期夢中になったのがパノプティコンだ。

ベンサムは刑務所に収監されている人々が抱える背景や、刑務所内での扱いに心を痛めていた。一方で、彼が唱えた最大幸福理論において、犯罪者は社会に不幸をもたらすものだった。

そこで、犯罪者を更生して社会へ参加させることができれば、犯罪者自身も幸福になるし、社会の幸せの総量も増えると導いたのだ。

すでに幸せな人の幸せ度合いは、頑張ってもあまり向上しないし、向上させるために大きなコストもかかる。反対に、現状で不幸せな人は、ちょっとコストをかけてテコ入れしただけで、大きく幸せ度合いが上がる。

学校のテストをイメージしてほしい。テストで20点だった学生が、次は30点取れるように勉強するのは、勉強のやり方さえ間違えなければ比較的容易である。しかし、すでに90点を取っている学生が、１００点を目指すのは並々ならぬ努力と戦略が必要である。それと同じだと考えればよい。

だから、ベンサムが犯罪者に焦点を当てたのは慧眼といってよい。犯罪者が不幸かどうかについては議論があるだろうが、刑務所に押し込められている時点で快楽や幸福を追求できているとはいえないだろう。

犯罪者を幸せにするといえば、現代を生きる私たちは何となく就労支援などを想起する。しかし、ベンサムが選択したのは徹底した監視だった。生きた時代が違うこともあるが、それを差し引いてもやはりちょっと変わり者だったのだろうと思う。

彼はこう考えた。幸せな人生を送る鍵は、良い習慣や生産的な習慣を身につけることである。これは自ずとできる人がほとんどだが、犯罪者の場合はそうではない。では、どうしたら彼らに生産的習慣を身につけさせることができるのか？

第三者、刑務所であれば看守による徹底的な監視がこれを可能にする。だから、これからの刑務所は24時間３６５日、犯罪者を監視し続けることができるしくみを備えなければならない。継続的で恒常的な監視の目は、必ず犯罪者に良好な習慣をつけさせ、更生させるだろう。

であれば、収監している犯罪者に対して、マンツーマンで看守を置いておけばいいのだが、それは効率が悪い。そのようなコストは別の事柄に振り向ければ、もっと幸福の総量を増やすことに寄与できる。だから、監視の効率を最大化しなければならない。

見えない監視者

この考え方に基づいて作られた刑務所の構想がパノプティコンである。パノプティコンは特定の刑務所を指す用語ではなく、ビジョンなのだ。次に図示したのはパノプティコン構想の影響を受けて作られたアメリカのイリノイ州にある刑務所である。

この刑務所は円筒状の建物で、壁面にあたる部分に独房が並んでいる。独房は外側に対しても内側に対しても極めて開放的で、プライバシーという言葉を嘲笑うかのように開口している。

建物の内部はがらんどうと言ってよい空間で（写真は廃棄後のものなので、ちょっと極端に見える）、中央にそびえ立つのが看守が鎮座する監視塔である。看守はここから、

パノプティコンの例

アメリカ、イリノイ州にある刑務所の内部
UNDERWOOD ARCHIVES/amanaimages

パノプティコン内面図

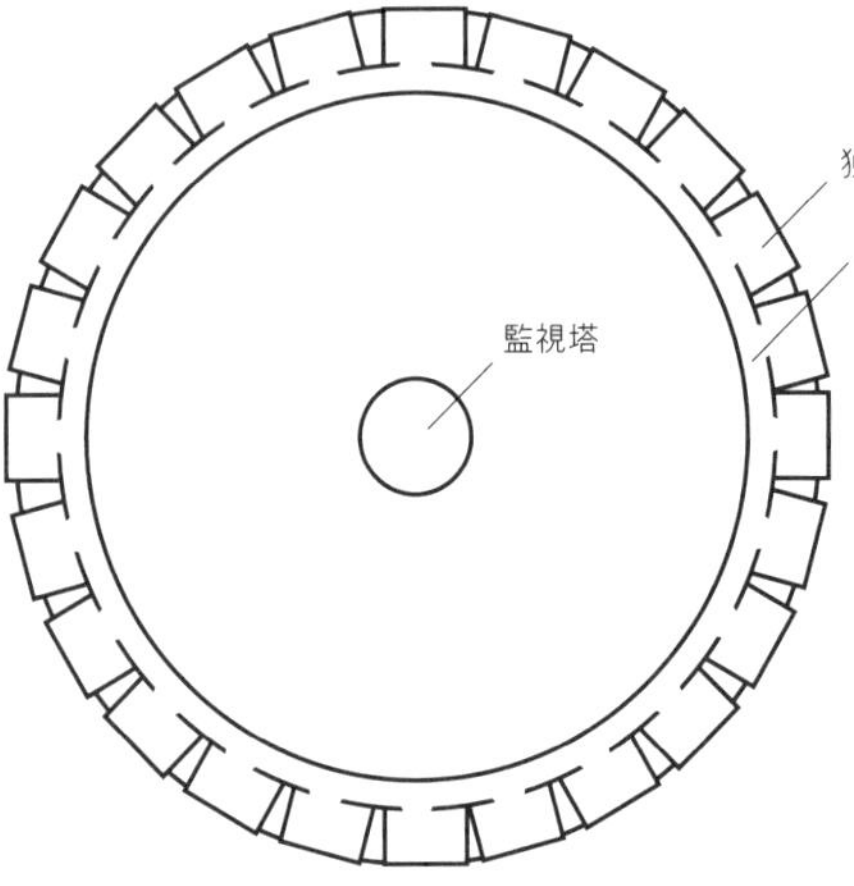

監視塔から独房を一望できる
出典：著者作成

犯罪者を監視する。パノプティコンの邦訳には全展望監視システムが当てられるが、まさに監視塔からは独房のすべてを見ることができる。

そして、ここが重要だと思うのだが、監視塔には光源が取り付けられている。この光源は犯罪者をよりよく監視する意図もあるが、それ以上に看守の存在を隠蔽することに価値が置かれている。

犯罪者からは、看守の顔は眩しくて見えない。

看守の実在すら明らかではない。

これは先ほどのビッグ・ブラザーに奇妙に符合する。ビッグ・ブラザーも、作品中ではその存在が記されるだけで、人々が見聞きしている姿の通りなのか、そもそも本当に存在しているのかは明示されない。

監視する側は善良な市民であるから、犯罪者に対してプライバシーが行使される側面もある。しかし、決定的に重要なのはそこではない。

監視者はいなくてもいいのだ。監視の気配さえあれば、人は監視を所与のものとして、勝手に監視されているなりの行動を取り始める。フーコーは後にこれを、「完全に個人化され、たえず可視的である」「可視性が一つの罠である」と評している。

このことに18世紀の時点で気づき、システム化を試みていたベンサムはすごいと思うのである。

スマホは理想の監視装置

フーコーに限らず、多くの者がパノプティコンの構想にディストピアを感じ取った。フーコーは『監獄の誕生』を著したが、『1984』も『ブレードランナー』[*4-4]、『マトリックス』[*4-5]も、元をたどればパノプティコンの影響を受けている。

そして、さらに時代が下ったいま、彼らが恐れていた監視社会が到来したと言われている。私もそうだと考える。しかし、現実に立ち現れた監視社会は、フーコーやオーウェル、リドリー・スコットの考えたものとは、少し違ったものになっている。

スマートフォンは、『1984』のテレスクリーンそのものである。スマホほど理想的な盗聴器もない。カメラにマイク、その他高価な各種センサーを備え、GPSまで完備している。一世代前のパソコンに準ずる処理能力と記憶能力を持ち、膨大な情報を記録している。しかもパソコンと違って身につけて持ち歩くものなので、蓄積する情報の質と量が桁違いである。事実上、スマホは何十年か前のSFで見たAIやアンドロイドの秘書を上回る秘書的存在になっている。

そして、何よりすごいのが充電と回収の手間を負わなくていいことだ。誰かを盗聴しようとするとき、それが独裁政権であれ浮気調査の興信所であれ、盗聴器の電源確保と盗聴したデータの回収に最大の困難がある。

不審な電子機器に電源コードが伸びていれば誰でも疑うし、蓄積した情報を回収しにその場へ赴けば、盗聴がばれることも、捕まることもあるだろう。

ところが、スマートフォンではこの一連の手順を盗聴される側であるスマートフォンの利用者が積極的に助けてくれる。現代人にとってスマホなしで外出することは、コントローラーなしでゲームをしたり、レギュレータなしでスキューバダイビングをするに等しい行為である。

そのため、利用者はスマートフォンのバッテリーがあがることを極端に嫌う。帰宅す

[＊4-4] ワーナー・ブラザーズにより1982年に配給された映画。ディックの『アンドロイドは電気羊の夢を見るか?』の映像化作品だが、内容はかなり改変されている。レプリカントと呼ばれるアンドロイドの自我や社会的位置づけがテーマの一つ。近未来の退廃的な社会像が多くの後続作品に影響を与えた。
[＊4-5] 1999年公開の映画。ワイヤーアクションなどの視覚効果で人気を博した。コンピュータが人に心地よい仮想現実を用意し、動力源として飼い殺しにしているその世界観もまた、多くの後続作品に影響を与えた。

ればすぐに充電を始めるし、外出先にまでモバイルバッテリーを持ち歩く人が多い。盗聴をしようと考えている者にとっては望むべくもない環境である。

さらには盗聴したデータを回収するための送信機構まで備えている。4G[*4-6]や5G[*4-7]の移動体通信システムは、国内はおろか世界を覆い、屋内や遮蔽物のある環境もオフロードを担うWi-Fi[*4-8]がカバーする。

監視されるメリット

もはや監視網からの逃げ場はないといってもいい。そして、先にも述べたように、利用者の側が積極的にその状況を作り上げようとしている。これはスマートフォンだけでなく、街頭の監視カメラなども同様の状況だ。

『1984』で示されたようなディストピアのありようと、なぜ異なったのかについては、いくつかの理由が考えられる。最も大きなものは、監視されることによるメリットが極めて大きくなったことだろう。

たとえば、巨大IT企業が採用する戦略にフリーミアムがある。登場初期ほど喧伝されなくなったが、それはなくなったのではなく、そうしたサービスのありようが社会に根付いたということだ。

フリーミアムモデルでは、企業はサービスを無償で提供して多くの利用者を獲得する。そのうち、5%（業界や業態によって諸説ある）ほどの利用者がサービスを気に入って、より高機能な、しかし有償のプレミアムサービスに移行してくれれば、採算が取れるという考え方である。

このとき、企業が無償でサービスを提供している膨大な利用者群は無駄ではない。お金を払ってそのサービスを買ってくれる、アクセスしてくれる人は、全体に占める割合が小さく奇特な人にカテゴライズされる。そうした人たちを一定数確保するためには大きな母集団が必要なのだ。


［＊4-6］第4世代移動通信システム。2010年代の標準的な技術。スマホの進化に沿って、高速通信技術が漸次投入されていった経緯を持つ。

［＊4-7］第5世代移動通信システム。2020年代の標準的な技術になると考えられている。高速大容量、低遅延、大量接続に特徴がある。

［＊4-8］IEEE802・11系の近距離無線通信技術の愛称。もともとは有線通信に比べてトラブルの多い無線LANを安心して使うための相互接続認定のしくみ及び業界団体のこと。知名度の向上にともなって、IEEE802・11ではなくWi-Fiと呼ぶことが一般化した。

また、ネットワークを使ったサービスにはサーノフの法則[*4-9]やメトカーフの法則[*4-10]が適用されるものが多い。利用者数が多ければ多いほど、それに比例してサービスの価値が高まるとする理屈だ。電話が端的である。加入者数が10人の電話網にあまり価値はない。巷にあふれるネットワークサービスは電話ほど単純ではないが、それでも利用者間でのやり取りの互換性や、トラブルが生じたときの過去事例の参照のしやすさなど、やはり利用者数が多いことによるサービスの価値向上は確実にある。だから、無償にしてでも、利用者数を上積みしようとする。

広告モデルと情報の価値

加えて、企業はサービスの利用者から莫大な情報を吸い上げている。スマホはミリ秒単位で各種の情報を送受信する。通話は言うに及ばず、位置情報、購買履歴、アプリの起動と終了、メッセージやアドレス帳、撮った写真のクラウドストレージへの保存、気温、湿度、運動量……いつか許諾を与えたかもしれないけれど、常に意識しているわけではないデータ群だ。その情報はサービスやアプリケーションの改善、高精度な広告の実現に活用される。スマホに依存して生きている私たちは、すでに十分に監視社会を生きている。

そう、フリーミアムでも、従来型の広告モデルは依然として健在である。無償でサービスを提供する手段として、テレビがそうであるように広告を使うビジネスモデルは昔からあった。フリーミアムは決してこれと対立する手法ではなく、無償の利用者には広告を見せ、有償の利用者では広告を掲示しない提供方法も採れる。

このとき、漫然と広告を打つのではなく、利用者が興味を持ちそうなもの、クリックしそうなものを選択的に出稿できれば、成約率などの数値が高まる。すると、そのサービスやアプリケーションは、広告プラットフォームとしても機能するようになる。これによるサービスの価値増大は幾何級数的である。

だから、企業は自らが提供するサービスのあらゆる箇所から利用者の情報を吸い上げ[*4-11]る。SNS、写真、動画、Web、メール、カレンダー、メモ、ヘルスケア……、スマ

[＊4-9] マスメディアの価値は、参加するノード数に比例するという考え方。100人の購読者がいる新聞は、2人しか購読者のいない新聞より、50倍価値があるということ。
[＊4-10] ネットワークの価値は、参加するノード数の二乗に比例するという考え方。100人の利用者がいるSNSは、2人しか利用者のいないSNSより、2500倍価値があるということ。

ホやパソコンが扱うありとあらゆる情報だ。身に付けて歩くスマホはもとより、リモートワークで使うパソコンですらオフィスソフトがその社員の生産性をスコア化する。それでも飽き足らず（スマホやパソコンだと、日常会話という情報の宝庫にアクセスできないので）、近年ではスマートスピーカーという形でそこへもアプローチしようとしている。個人は分析されている。多くの人はこれに自覚的ではないし、自覚している人も効用の大きさと比較考量して個人情報の提供を拒まないことが多い。

もちろん、こうした傾向は以前からあった。アンケートハガキによる懸賞抽選は、人気取りや広報効果のためだけにやっているのではない。アンケートハガキに書かれるその人の属性情報は、貴重な利用者情報である。利用者について深く知れば、自社の製品やサービスをより価値のあるものにできる。

こうした活動は連綿と続けられてきたが、情報化やAI化の進展により、情報の収集範囲が広大になり、収集頻度が毎時、毎瞬化しているということである。情報収集のコストが低くなったので、これを行う企業も増えた。

たとえば、利用者一人ひとりの行動からその属性情報を読み取り、蓄積されたそれらの情報をもとに個々にカスタマイズしたサービスを導いて提供するのは、比較的高単価な商売でのみ許された手法だった。いわゆる高級旅館のおもてなしである。

しかし、薄利多売のビジネスでも、情報機器やＡＩを使えばこうしたサービスを提供できるようになった。採算に見合うのである。自動販売機まで、カメラで利用者をス

［＊4-11］大きな議論を呼び起こしたところでは、2013年のＳｕｉｃａ利用履歴販売問題がある。ＪＲ東日本がＳｕｉｃａによる乗車履歴を日立製作所に販売したのだ（物販の履歴は含まれていなかった）。

当時はいわゆるビッグデータのブームが過熱していて、交通機関の利用状況を分析してマーケティングに役立てる意図があった。乗車履歴は年齢や性別が紐付けられていたので、確かにマーケティングに効用があっただろう。これがなぜ問題視されたかというと、Ｓｕｉｃａ利用者に対して利用許諾を取っていなかったからだ。これに対してＪＲ東日本は、ＩＤ（個人を特定できる）に変換処理を施し、氏名なども削除して個人を特定できないようにしてあるから個人情報にはあたらない、と説明した。だが、「変換処理であれば、再変換で元に戻せるのでは？」、「仮に安全で、法令違反ではないにしても気持ちが悪い」といった批判が相次ぎ、利用履歴の販売は停止に追い込まれた。個人情報保護意識の高まりや、その後の個人情報保護法改正への転機にもなった。

個人情報保護法改正を後押しした要素はもう一つ、ＥＵ一般データ保護規則（GDPR：General Data Protection Regulation）への対応がある。総論として、アメリカは（形式上はどうあれ）個人情報の活用に重きをおき、ＥＵは個人情報の保護に重きをおいてきた。ＥＵは個人情報保護の総本山であり、その規則も大変に厳しかった。ＥＵの基準に適合していない国は、ＥＵとの取引に不都合が生じる。それを回避するために、法制度と法執行を厳格化したのだ。

しかし、そのＥＵも個人情報に対する態度を更新しようとしている。ＥＵは保護から共有へ、個人情報と向き合うスタンスを変えるかもしれない。アメリカはもとより、個人情報の活用に躊躇がない中国に、政治や経済、軍事で大差をつけられつつあるからだ。

昔日のデータマイニングはもちろん、ＡＩの分野でもビッグデータが重要であることは言をまたない。ＡＩに学習させるために不可欠である。中国の人口と、機微情報を迷いなく活用する姿勢は、着実に彼らのＡＩを進歩させている。

かつてMade in Japanが世界を席巻した一時代があった。いまはDesigned by Appleが覇を唱えている。次に世界を統べるのはTrained in China、中国で学習したＡＩかもしれない。

キャンして、その人が好みそうな飲料の提案をしてくる。

GAFAMから逃げられない

このように積み上げられたサービス網は、監視網と呼んで過不足ない。第二次世界大戦中、冷戦中の情報機関が児戯に見えるほどの精度で私たちを監視し、その動向を把握している。

この監視の特徴は、利用者が積極的に監視を望んでいるように受け取れることである。そう、私たちは監視を受け入れている。

過去の懸賞抽選のように、それが個人情報の提供であるなどと認識しないケースは減った。情報提供時の事前説明など、不十分な点はまだまだあるものの、利用者に気付かせ、認識させるためのしくみ作りは確実に進み、個人情報には直感的に自分が感じる価値以上の価値があることの周知も進んだ。

もはや、素朴に「知らないまま個人情報を提供してしまった」事例は確実に減っている。むしろ私たちは積極的に個人情報を開示しにいっている。旅館のおもてなしの例でいえば、秘密主義を押し通せば、快適なサービスを享受することができない。それは困ると考える人が増えたのである。

巨大IT企業のサービスは社会の隅々にまで浸透し、参加することのメリットよりも、参加しないことのデメリットを考慮すべき段階に入った。いま、Google、Amazon、Facebook、Apple、Microsoft のサービスを利用せずに社会生活を営むことは難しい。それがどれだけ困難なことなのかは、SNSのネタや記事[*4-12]になるほどだ。一読してみるのも一興だろう。

現代の監視者はとてもフレンドリーだ。自分にまつわる情報を提供しようとすれば、「本当にいいの？」と問いかけてくれるし、提供することによって、個人の体感としては提供した情報の価値を十分に上回るサービスを無償で与えてくれる。それがもたらす便利さと快適さは、人間の仕事と日常を確実に次のステージへと押し上げた。

［＊4-12］ GIZMODOの記事「さよならGAFAM：5社一気にブロック→地獄です」など。GAFAMのサービスを利用しないという実験。メッセージ送信やファイル共有、予定の管理すら困難で、生活が成り立たないと述べている。
https://www.gizmodo.jp/2019/02/i-cut-the-big-five-tech-giants-from-my-life-it-was-hell.html

紳士的な監視の時代

先人たちは、監視は不自由で恐怖をもたらすものと考えたが、実際には極めて快適で安心をもたらすものとして、社会に実装されたのである。

監視カメラもそうだ。監視カメラこそ、権力による監視の象徴であったが、グローバル化や個人主義の台頭、コミュニティの崩壊などでリスクが高まった（と個々人が体感している）状況に対応するために、住民の要請で設置されるケースが増えた。監視カメラで見られていれば、非常事態に誰かが駆けつけてくれる（かもしれない）。いまや監視は、恐怖ではなく、安心なのである。

だからこそ私たちは、自分の手でWi-FiもGPSもオンにして、わざわざバッテリーを消費して、自分はここにいるとシステムに対して高く手をあげ続けている。システムに見失われないように、見てもらうために。

そして、監視する側にも、悪意がない。

巨大ＩＴ企業も、ユニコーン企業の創業者でも、全人類をコントロールして悪の帝国を築こうなどと考えている人はいない。むしろ、人々の生活をよくしよう、もっと便利に効率的に、人の活動を向上させよう、ついでに儲けようくらいに考えている。

善意だからこそ、監視者側に躊躇がない。善意だからこそ、止める力が働かない。そこに快適さを追求した利用者の積極的な監視受容が重なることで、かつて米軍が大金を投じて構築したEchelon[*4-13]やPRISM[*4-14]をはるかに超える稠密な全地球監視システムが完成したといえる。

私は過去の著書で、監視者と被監視者のこの関係を「紳士的な監視」と書いた。その後、大学入試でこの用語が取り上げられたことがあったので、これでよかったのか、もう少し別の言葉にする余地はなかったか思い悩んだことがあったが、いまでも紳士的な監視でいいと思っている。

書いた当時は発展途上だったが、現時点では世界的な展開と日常生活への浸透はほぼ終了し、いかにその精度を、頻度を上げていくかの段階に入っている。

そして、この監視網は、『1984』や『ブレードランナー』を彷彿とさせるもので

［＊4-13］エシュロン。アメリカが構築したとされる通信傍受システム。電話からインターネットまで網羅的な傍受・盗聴を行っているといわれているが、実態は明かされていない。
［＊4-14］プリズム。インターネット上のサービスを中心とした情報収集システム。アメリカの国家安全保障局に勤めていたエドワード・スノーデンの告発で世界的な議論になった。

はなかったが、監視の主体を巨大ＩＴ企業や個人に置き換えれば、ベンサムのパノプティコン構想を顕現させたものだと思う。

ＳＮＳがもたらした相互監視

巨大ＩＴ企業は、監視と引き換えに、極めて利便性の高いサービスを、多くは無償で提供している。人々の生活は劇的に変わった。社会における幸福の総量は、増大していると思う。

身辺にくまなく配置されるスマートフォンやタブレット、パソコン、情報家電、センサー、監視カメラや、これらを通じてサービスという形で提供される監視は、24時間365日途切れることなく、パノプティコンの理想通りに勤勉に私たちを見続けている。パノプティコンが監視塔を照らして、看守の存在を隠蔽するように、私たちには監視の主体がわからない。ふだん使っているＳＮＳやメッセンジャーサービス、そのユーザインタフェースを飾るスタンプは、サービスによる監視に対して、強い嫌悪感を抱くことを困難にしている。

サービスやアプリケーションによる監視は、人による監視よりもさらに「いつ監視されているか」がわかりにくい。アプリケーションに何の監視を許し、いまその監視がどんなステータスにあるかをすべて把握しているスマホ利用者はほとんどいない。

プライベートな活動をするとき、こまめにGPSを切るような利用者もいるだろう。だが、切り忘れることもあれば、特定のアプリケーションがGPSと連動していることを知らないこともある。結果的に、いつ監視されているかがわからないから、監視を前提に生活し始めるのである。

「この場所にチェックインしたことは、きっと何かのはずみに友だちに知られるだろう。だから、それを前提に友だちと会話する。会社にも行動の動線がばれるだろうから、営業中の一休みはやめよう」。これはベンサムが唱えた、恒常的な監視下にあることによる行動の変容そのものである。

パノプティコンの監視塔に光源があることは、他の独房にいる犯罪者の影を揺らめかせ、本来は監視者ではない、いもしない監視者の影を演出する効果もあった。

いま、私たちはSNSによっても監視されている。SNSは監視網ではない。SNSの利用者は看守ではない。しかし、人と人とのつながりが可視化され、自分の投稿が多くの人の目に触れることによって、SNSは監視網として機能できる力を持つに至った

（その事実を十二分に自覚してなお、利用者はSNSに情報を投稿し続ける。可視化の功罪については別章で述べる）。

善意の監視網ができあがるまで

確かに私たちは、不謹慎な行いをしてSNSで炎上することに怯えている。SNSの利用者すべてが監視者として振る舞っているわけではなく、また常に監視が行われているわけでもないが、ベンサムによれば監視は可能性があるだけで十分なのである。SNSが現れたことによって、すでに私たちの行動は決定的に変容したといえる。人に後ろ指さされるような行動を慎み（自らSNSにアップしないだけでは不十分だ。誰かがアップするかもしれない）、ポリティカルコレクトネスに準拠した言動を心がける。現代型のSNSが普及したここ20年あまりで、人々の言動がお行儀よくなったことには多くの人が首肯するだろう。もっとも、不謹慎な人を攻撃する瞬間の言動は酷いものだが。行動の変容に未だ至らない人には、容赦なく不謹慎警察が襲いかかり、それを促す。

そう聞くと「嫌だな」と思う人は多いかもしれないが、こうしたサービスを一律に禁止することはとても難しい。自動運転車のページでも書いたが、多くの場合それが正しいからだ。たとえば、東日本旅客鉄道（JR東）、東京都交通局（都営交通）、東京地下鉄（東京メトロ）が実施している「まもレール」[*4-15]は、公共交通機関を使っている児童・生徒が、SuicaやPASMOで改札を通過すると「〇〇駅出場しました」と保護者へ通知するサービスである。

恋人の行動を追跡するアプリケーション[*4-16]が問題になったことがあったが、表面上は同じ機能が並んでいる。もちろん、子どもをきちんと見守ることはよいことだし、提供している側も純度100％の善意でこれを運営していることだろう。このサービスのステークホルダに悪人はいない。わずかなサービス料を支払うことで、子どもの通学環境はとても安全になる。いいことずくめである。

にもかかわらず、これは監視の呼び水になる。弱者を見守るのはまず間違いなく善だ。であれば高齢者も見守らねばならない。病人も障害を持つ人も同様だろう。交通機関だ

［＊4-15］JR東日本、都営交通、東京メトロが共同でオペレーションする見守りサービス。ICカード乗車券を使って自動改札機を通ると、それが保護者へメールで通知される。
［＊4-16］パートナーの行動を監視するために位置情報を取得するアプリ「カレログ」が問題視された。

けでいいのだろうか？　いや、店舗や家庭内でも見守ったほうがいい。大人は見守らなくていいのか？　見守ったほうがずっと安全に違いない。どこかで急病になるかもしれないのだから。

こうして、真綿で首を絞めるような善意の監視網が完成する。善意の連鎖が、完璧な監視システムを作ることがあるのは覚えておいたほうがよい事実である。

「正しい行動」の圧力

この傾向はＡＩやセンサーを駆使したものに限らず、どんなサービスでもいえることだが、２０２０年のコロナ禍で拍車がかかった。パンデミックの拡大抑制のために、各国政府お手製の濃厚接触者検出サービスが使われた。世界的な巨大ＩＴ企業であるGoogle も Apple もこの動きに協力した。濃厚接触者を割り出すロジックはシステムによって異なるが、Google と Apple がＡＰＩ（システム開発の基盤の一つ）を提供するサービスでは、利用者が感染者であることを自己申告し、感染者が持つスマホに接近したスマホを割り出し、通知する。

スマホとスマホの接近は Bluetooth を使って検知し、位置情報は使わないとされているが膨大な量の接近と離散のデータを解析すれば、濃厚接触者を検出する以外の用途にも使えることは間違いない。

もちろん、これらのサービスが用途によっては極めて有用で、ときには（まさに感染拡大防止のために）人の命さえ救うことはよくわかっているが、裏を返せば強烈な監視システムであることは否定できない。しかも、パンデミックが起こっているさなかでは、利用の拒否がしにくいこともまた事実である。アプリケーションのインストールも任意、感染者であることの登録も任意といいつつ、それが拒否しにくい圧力がかかっている。

そして、立法機関や行政機関は何かの弾みで手にしたこの種のツールを、そう易々と手放すことはしない。別の場面でも行政の効率化にとても役立つだろうし、人々の管理と制御にも転用できるからだ。

時限立法や限定用途の縛りがかかっていても、感染症をはじめ生きていく上でのリスクなどは無数にあり、善意の監視を継続する理由はいくらでも立つ。

「正しい行動」を促す圧力は、今後さらに強まることが予想される。みんな正しいことが大好きだからだ。正しいことには副産物もついてくる。健康は最有力だ。スマホを万歩計として活用することで、あるいはスマートウォッチをバイタルサインの計測器として活用することで、私たちは健康情報の監視を許している。

健康状態が可視化されれば、それを改善したくなる。より運動をし、より良い食べ物を食べ、上質な睡眠を取ろうとする。巨大ＩＴ企業がここに積極的に関わってくることも可能だ。たとえば、マップサービスの経路検索機能は、今のところ目的地に至る最短、最速、最安、最楽なルートや手段を表示してくれることになっている。でも、今後はそこに手心が加えられることがあるかもしれない。

それは、スポンサー企業の交通機関を積極的に表示するとか、そうしたわかりやすい利潤追求のためではない。そんな手法はやがてばれるし、明らかになったときにどれだけのダメージがあるかも、巨大ＩＴ企業は十二分に学習している。

それよりもっと利用者の幸福にかなうような形で介入するのである。本当は電車に乗ったほうが速いのに、「ここは歩きましょう」。歩くにしてももっと近い道があるのに、最近運動不足だったので、ちょっと遠回りの道を「おすすめします」。

もしこうしたサービスが実装されたとして、多くの利用者は気付きも、気にとめることもないだろう。

古典的なハッキングの手口に、サラミ法があった。銀行口座から１円といった単位の極めて少額な金銭をかすめ取るのである。気付かれないし、気付いたところで騒ぐ人も少ない。銀行に「おかしい」とクレームをつける行為のほうが1円を取り戻すよりも高コストだからだ。しかし、ハッカー（クラッカー）にしてみれば、たとえ1人1円であっても、100万人に対して行えば100万円である。

先の健康の事例は、このサラミ法に似ている。利用者個々人の時間と行動を少しずつハックしていくのである。ほとんどの人は気付かず、気付いたとしても目くじらを立てるほどではない。疑問に思って、なぜだろうと調べる時間のほうが無駄だ。仮に表面化したとして、「利用者の健康を向上させる取り組みの一つだ」と言われると、それが本当に悪いことなのかどうかもわからない。

正義の信用スコア

パノプティコン型監視社会において、個人の行動は高い精度で捕捉されている。その行動が最大幸福に貢献する「良い行動」であれば、ポイントを付加する。不幸を助長する「悪い行動」であればポイントを減じる。これが信用スコアの考え方だ。

司法機関でもないIT企業が何の権利で、と捉えることもできる。しかし、市井で日々品行方正に暮らす名もない市民は報われていない。一方でわがまま放題の人々はやったもの勝ちとばかりにやり得を謳歌している。その是正のために、美しい行動をポイント化して、正しく生きている人々に正当な評価を受けてもらう、などと説明されると、何が正義かわからなくなる。

金融機関や保険会社が融資を行うとき、保険料率を決めるときに使ってきた信用情報の活用とどう違うのかという視点もある。情報の質と量の両面で大きな違いがあるが、それは見えにくい。

ＡＩの普及は、監視社会を必ず普及させるだろう。そもそも、ＡＩをより良くトレーニングするためには、質と量に優れたデータが必要である。社会生活に役立てるＡＩを作るならば、そのデータとは人間の活動そのものである。ＡＩが社会生活を、少なくとも効率の面では、飛躍的に向上させるだろうと考えられる以上、ＡＩの進歩と普及は既定路線である。であれば、ＡＩを育てるためのデータの収集競争が起こり、それは網羅的、包括的なものになる。すなわち監視社会である。

この動きの基本的な動機は、便利さや安全性の増大であり、そこに悪意はないと考えられる。もちろん、金儲けなどの附帯的な要素は絡んでくるが、根底には人間や社会の可能性をもっと追求したいという意志がある。だからこそ、その推進に拍車がかかる。正義を信じる意志に、歯止めはかかりにくい。

このとき表面化するのは、大勢がそれに追従できない事実だ。AIを作り使いこなす側は理想を語り、それを具現化していくが、多くの人はそれを受け入れるだけの役割を与えられる。良いものだと教えられても、駆動原理は厚いベールに包まれ、理解は困難である。押しつけられた得体の知れないものは、薄気味悪さを喚起するのに十分である。すると、普及させる側は、便利さを強調したり、見えにくいところから浸透させようと試みる。

中国では信用スコアが導入され、各所で活用されている。

中国が構築した世界最大の監視システム「天網」はすでに実稼働しており、中国全土をカバーしているといわれている。中国の監視網はカメラと顔認証が有名だが、その他のバイオメトリクスも組み込まれ、犯罪者の検出などに利用されている。高コストになるのに複数の生体認証を組み合わせるのは、既存のAIを騙すことにも使えるGAN[*4-17]（敵対的生成ネットワーク）などの技術に対抗するためだ。たとえば、報道でも有名になった「マスクに別の人の顔や文様を描き、顔認証を回避する」といった対監視手段は声帯や虹彩の認証が複合されていれば無効化される。

中国の警察では天網とリンクしたスマートグラス（情報端末付き眼鏡）も実用段階に入っており、警官は特に肉眼で注視していなくても、犯罪者やその可能性の高い者がいれば眼鏡からアラートがあがる。

天網はもちろん、犯罪の抑止や摘発に効果があるし、中国が新型コロナウイルスによるパンデミックを比較的短期間で封じ込めた理由にもあげられている。しかし、それは知らないところで自分が犯罪者かどうかを評価されている気味の悪さ、据わりの悪さと表裏一体である。また、この「犯罪者」の部分はシステムを使う者の都合次第で、人種や職業、思想、信条、性別などに置き換えることができる。

権力の非人称化

日本での信用スコアサービスは、離陸未満の状況にあるが、拡充されれば意外に多くの人がこれを楽しむのではないかと考えている。

たいていの人は、自分は品行方正だが、他人はそうではなく、他人の思慮のない振る舞いで心を痛めたり、不愉快な目に遭わされていると感じている。ＳＮＳで交わされるやり取りを見ても、その傾向は明らかである。

人間同士で「お前は不謹慎だ」と言えば泥仕合にしかならない。実際にSNSはこの20年、その繰り返しである。でも、公平なアルゴリズムが導いた信用スコアであれば、意外と急速に市民は馴染んでいくと予想する。もし、その数値が思い通りのものでない場合、システムに反旗を翻すよりは、システムに迎合し、自分の行動を変容させ、高いスコアを得ようとするだろう。そのほうが楽で、利得が大きいからだ。

問題はそのスコアが公平かどうかだ。人力は信用できないと考えられている。人の判断には必ず恣意性が入る。いま世界を覆っている現代型パノプティコンは、巨大IT企業と無数のSNS利用者が善悪を判断している。

いまの利用者の不満は、その判断の不公平さや不透明さに集中している。巨大IT企業は、この利用者の投稿を消去すべきかどうか、この利用者は優良顧客かどうかの判断

［＊4-17］Generative adversarial networks：敵対的生成ネットワークのこと。ディープラーニングの一種。生成を行うネットワークと識別を行うネットワークの2つを作り、互いに競わせることで、両方の性能を洗練させていくモデル。たとえば画像に適用するのであれば、生成ネットワークは本物の画像をもとに偽画像を作る。識別ネットワークは画像が本物か、それとも生成ネットワークが作った偽物かを判断する。

を自動化しているが、自動化していればバイアスがかからないというのは幻想であることはすでに述べた。だからといって、赤の他人であるSNS利用者の判断など納得できるものになり得ないのは、特に個人主義が拡大し、多様な価値観を受容しあうのではなく、排斥しあう方向へ突き進んでいる現代においては自明である。

であれば、次に来るのは権力の非人称化である。

人の判断は信用できない。人は必ず間違う。

人の判断は納得できない。人の価値観は多様で、しかもブレる。

もっと信用できる、安心して判断を任せられる主体はないのか。

ある。

少なくとも、人にそう思わせるものはある。AIである。特に若年層においては、AIへの信頼が厚いことを第1章で述べた。彼らはAIに過度な期待はしていないかもしれない。彼らは少なくともデジタル技術の見極めに対して優秀だ。これがアトム[*4-18]を置換するような存在にはまだほど遠いことを、とてもよく理解している。

一方、チェスや将棋や囲碁において、車の自動運転において、飛行機の自動操縦において、株の高頻度取引において、画像認識や音声認識において、もはやＡＩが人間には到達できない判断能力の高みに到達したことを理解し、信頼している。

先の就職活動の例はまさにそうだ。

投票ではなくレビューで変える

他にも、（ドライバーには失礼な話だが）高齢のタクシードライバーがずいぶん増えた。ちょっと運転がおぼつかないこともある。あれに乗るくらいなら、たとえ技術的に未熟でも早く自動運転車が投入されてほしい、といった声は授業中などによくあがってくる。

ＡＩを完全に信用するわけではないが、人よりはまし。こういう態度は、拡大し普遍化するだろう。事実もそうなのかもしれない。判断の精度も低く、不正も汚職もするかもしれない人間より、ＡＩに政治を任せたほうがいいの

［＊4-18］手塚治虫の漫画作品『鉄腕アトム』の主人公。1952年連載開始。アトムは少年の外見を持つロボットとして造形されている。知性と感情があり、自らの有り様への苦悩が作品のモチーフの1つになっている。

かもしれない。タクシーも自動運転車がいいかもしれない。上司がＡＩなら、付き合い残業もなさそうだ。

特に若年層の政治への無力感は大きい。今の人口動態からいって、若年層の票数が高齢者層のそれを絶対に上回ることがない事実は、長らく指摘されている。若年層も、それを知悉している。だから、政治で自分たちのための何かが変わるとは思っていない。変わるとしたら、それは自分たちの思いが直接反映されたものではなく、若年層の気分を代弁するかのような誰か高年齢のステークホルダのニーズを満たすものだと解釈する。社会に対して働きかけること、それによって何かが変わったと実感することは、生きていく上で重要な体験である。自分が社会を少しでも変えられた、関われたと認識することは自己承認とも密接に接続している。

民主主義国家であれば、その最たるものが選挙なのだろうが、いまの若年層はここに何の希望も持っていない。かといって、よく報道されるように社会との関わりに無気力なわけでも、諦めたわけでもない。ではどうするのか？　たとえば、ショッピングサイトのレビューに高評価をつけることで企業を応援したり、低評価をつけることでその企業に行動の変容を促す。迂遠にも思えるが、ＥＣが浸透する社会において、大量のレビューは企業にとって重要かつ神経を尖らせるファクターである。少なくとも、選挙に行くよりはずっと社会に関わり、変えた気分になれることは確実である。

是正という補助線

ＡＩが様々な意思決定に関わる未来が予想されるとして、こうした気分を内包した若年層がそこにあまり違和感を抱かないことは、むしろ自然なことといえる。問題は、「ＡＩのほうが正しい」が、ある水準では事実であること、そのものにあると思う。

正しいものに判断の権威を持たせると、神格化が始まる。そんなにたいそうなものでなくても、疑義を挟みにくい雰囲気は生まれる。そのとき、私たちは権限を委譲してしまったＡＩに対して、安全弁を設けることができるだろうか？　ＡＩはすでに人間の理解を超えて高度化しているのに？

たとえば、ある感染症を抑え込む政策をＡＩが立案、施行したとして、その決定に違和感を覚えたときに、これはおかしいと唱え、責任を持って別の施策に切り替えることができる政策立案者がどれだけいるだろう。ＡＩのほうが正しいかもしれないのに。ＡＩに任せておけば、もっと死者が少なくなったかもしれないのに。

ＡＩも人間と同じく、自律して動く「しくみ」でしかない以上、間違いは必ず起こる。バグもある。稼働環境が変わって、それに適応できないこともある。システムにはバグとミスと故障は必ずビルトインされている。

それに対応するような、是正できるようなしくみを私たちは用意できるだろうか。それが、ＡＩをより社会に浸透させてしまっていいか否かについて考える重要な補助線であり、意思決定をＡＩへ外部化していいかどうかの判断根拠になる。

5

ESCAPE
FROM
THOUGHT

第5章

未来はどうなるのか

人間であるということは、
とりもなおさず責任をもつことだ。
人間であるということは、
自分には関係がないと思われるような
不幸な出来事に対して忸怩たることだ。

サン＝テグジュペリ

人間を超越するＡＩ

ＡＩの台頭に警鐘を鳴らす専門書や啓蒙書は、既に星の数ほどある。それで納得する人も、反論がある人もたくさんいるだろう。だが、「どうにもピンとこない」という人が実は一番多いのだろうと思う。

ＡＩの能力はいつか人間を超えるよ、いや特定分野ではすでに超えている。あなたの仕事が奪われると言われれば、「そうか」と思うだろう。

ＡＩは過去の事例から学んでいるだけで、創発性を持っていない。それどころか特定の知識フレームの内部でしか演算できないから、汎用的な知見さえ導くことが不可能だ。知性などと呼ぶのはおこがましいと言われれば、「なるほど」と納得する。

でも、自分の身近に迫った現象だと、実感を伴って考えることは難しい。ＡＩが自分の仕事を全部奪って、さらには自分がＡＩの奴隷になる場面は想像しにくい。

ならばＡＩなんてたいしたことがないかといえば、時間のあるときに「ＡＩ」と名称がついているオセロや将棋のアプリケーションで対戦してみて欲しい。あれに勝つことはもう不可能だ。

私には木蓮と辛夷《こぶし》を見分けることはとても困難だけれども、ＡＩは自信を持って弁別してくれる。

音声合成技術もＡＩによってとても進歩した。楽器の自動演奏はＰＣＭなどによって再現しやすい打楽器や打弦楽器からスタートした。最初はプアな音で、明らかに合成音とわかるものだったが、符号化と量子化の精度が上がって弦楽器もあまり違和感ない音へと仕上がっていった。

音楽界を変えた初音ミク

音楽制作の現場で最後に残された聖域、機械で代替できないもの、は肉声だったが、初音ミク[＊5-1]に代表されるVOCALOID[＊5-2]は音楽シーンへ参入し、人間の歌唱者や演奏者を介

［＊5−1］VOCALOIDに対応した音源。異なる声質で歌唱させる需要があるので、VOCALOIDを用いた音源は各社から多数発売されているが、最初期かつ最も著名な音源の一つ。「初音ミク」という仮想のキャラクターが設定されており、そのビジュアルも含めてボーカルシンセサイザのイコンとなった。

［＊5−2］ヤマハが開発した音声合成ソフトウェア。音声合成ソフトウェアはナレーション用、歌唱用など用途ごとに作り込まれるが、VOCALOIDは典型的な歌唱用ソフトウェアである。これによって、ＤＴＭ：Desktop Musicのみで楽曲演奏を完成させることができるようになった。それまでにもＭＩＤＩなどの演奏制御技術を使って自動演奏は行うことができ、自然に演奏できる楽器の幅も打楽器から、打弦楽器、弦楽器へと広がっていたが、ボーカルが最後の壁だった。VOCALOID登場以降は、演奏者や歌唱者に依頼せずとも個人で楽曲制作を完結できる体制が整った。

さない楽曲演奏が可能になった。[*5-3]

当初のVOCALOIDはぎこちない発声で、それを何とか人間のそれに近づけようとするなら、「調教」[*5-4]と呼ばれる微妙な修正作業を、気の遠くなるような精度で繰り返さなければならなかった。

しかし、この調教過程をＡＩが担うことで、極めて素早くある程度の水準の歌唱を行うことが可能になってきた。実装例としては、フリーウェアとして公開されているNEUTRINO[*5-5]が著名である。ニューラルネットワークが使われており、歌詞とメロディを与えると歌声が出力される。

もちろん、よく聞けばまだ肉声でないことは聞き分けられる。しかし、雑踏でＢＧＭとして流されたらきちんと聞き分けることが難しい水準には達している。制作費やリリース後の運用を考えると、今後、楽曲を発表するための手段の一つとして、合成音声とアバターの組み合わせは十分に選択肢になり得るだろう。

NEUTRINOは歌うことに特化しているが、ナレーションの技術も向上している。ナレーションこそ恒常的に求められるもので、かつ場合によっては高い精度や個性は要求されない。ニュース番組などではナレーターの人間性や個性が視聴の楽しみになることがあるが、単に正確に原稿を読み上げるだけなら、かなりの部分を合成音声で代替することが可能になるだろう。

ただ、こうした断片的な事実を列記したところで、私たちの想像力は非常に限られている。AIに自分の権利が浸食される未来も、AIを使役する薔薇色の未来も、明確な輪郭を伴ってイメージすることは難しい。

だったら、想像力のある人たちが、未来を垣間見せてくれるものを鑑賞すればいい。

未来を描く作品

AIを扱ったエンタテイメントの歴史は古い。ちょっと記憶の引き出しを開けるだけで、『ブレードランナー』、『ターミネーター』[*5-6]がすぐに浮かぶ。『1984』でも『月は

［＊5－3］余談だがVOCALOIDを使って楽曲を作る人たちをボカロPと呼ぶ。Pはプロデューサーの略。黒うさPの「千本桜」などが著名。ちなみに、米津玄師もVOCALOIDを使った活動をしていた。

［＊5－4］単に楽譜と歌詞を与えただけでは、平坦で不自然な歌声になってしまうため、1音1音についてアクセントや発声タイミングを変えたり、スタッカートやファルセットの効果をつけていく作業。

［＊5－5］ニューラルネットワークを使った音声合成システム。手作業による「調教」を、ニューラルネットワークが導く推定で代替したもの。

無慈悲な夜の女王』[*5-7]でもいい。豊富なビジュアルイメージや、飽きさせないプロットで、無味乾燥な論文などよりずっと明瞭に「ＡＩとともにある未来がどうなるのか」、その一場面を切り取ってくれるだろう。自分では気づけない社会への違和感を浮き彫りにしたり、あるべき生き方の可能性を見せたり、現在の延長線上にある未来を覗かせたりするのは、文学や芸術がそもそも持っている機能の一つである。

ショートショートの雄、星新一[*5-8]はどうだろうか。意外にもＡＩを真っ向から取り扱っている作品は少ないが、『妖精配給会社』[*5-9]などはいいかもしれない。異星から漂着した「妖精」（身も蓋もなく言えば宇宙人だ）を繁殖させて、各家庭へ配給するお話である。

なぜ妖精を配給するなどという酔狂なことをするかといえば、その妖精は極めて柔順で耳ざわりのよい言葉を紡いでくれるからである。常に感謝を忘れず、飼い主の美点を見つけて賞賛してくれる。人にとって、こんなに心地よいこともないだろう。

嫌味や皮肉ばかり言う家族はもちろんのこと、犬や猫のペットなども妖精に駆逐されてしまう。犬や猫も素晴らしいが、妖精のように賞賛を言語化してくれるわけではない。いくつか引用してみよう。

ほとんどの人が「あなたのようにおせじのきらいなかたは、めったにございません。なんという高い見識でございましょう」という文句で陥落する。これはシェークスピアの書いた「ジュリアス・シーザー」のなかにもある文句だそうだが、こと、ほめ言葉に関してだけなら、妖精も文豪に匹敵する天才といえた。

星新一『妖精配給会社』新潮文庫、1976、118〜119ページ

映画を駆逐し、読書を押え、安泰な帝位にあったテレビ関係者もはじめてあわて

[＊5-6] アンドロイドと人間の対立によるディストピアを描いた作品。ワーナー・ブラザーズが1984年に配給し、その後も途切れることなく派生作品が作られ続けている。
[＊5-7] ハインラインが1966年に著した小説。地球とその植民地である月の対立構造がシナリオの軸になっているが、知性あるコンピュータとしての「マイク」がアクセントになっている。マイクは人の給与を操作することなどを冗談として行い、主人公とコミュニケーションする。寂しさやユーモアの感情があることが提示され、主人公たちが革命に身を投じていくのに際して力強い仲間となる。しかし、読みようによっては革命自体がマイクによって使嗾されたもののように理解することもできる。
[＊5-8] 短編小説で高い評価を得た小説家。活動期間は長きにわたり、生産された著作量も膨大である。SFをベースとした寓話的作品が多い。
[＊5-9] 1976年に発表された短編集の表題作。人に心地よいことを常に囁き続けてくれる「妖精」によって、我欲が満たされる社会が描かれる。個々人の人生の満足度は増大したと思われるが、人と人との関係は希薄化し、離婚率が高まり、少子化が進んだ。主人公が、「妖精は人間を弱体化させるために、意図的に送り込まれたのでは」と着想するところで物語は閉じる。

た。ある程度だが、妖精普及への妨害工作があったと、会社の記録に書かれてある。テレビ番組がどんなに大衆にこびたところで、画一という限界を超えることはできない。だが妖精のほうは、個人のそばについていて、適切な、ぞくぞくする言葉で、ほめたたえてくれるのだ。

同119ページ

テレビはしばらく悪あがきをつづけたが、共存によって生きのびようとした。そして、それを成功した。つまらない番組を、つまらないタレントにやらせ、電波にのせるのだ。聴視者の側近の妖精が「ごらんなさい、あなたでしたら、ずっとすばらしくおやりになれましょう」と発言するための、タネを提供する形だった。

同120ページ

人口の増加が下り坂になった記事もある。結婚が少なくなったためだ。妖精以上の甘い言葉をささやきかけてくれる異性の、あるわけがない。また、妖精に甘やかされていると、他人に甘い言葉をささやく気になれるものではない。甘い言葉は聞くものであって、自分で言うものではない。そしてまた、甘い言葉は、いくら聞いてもあきないものだ。

人々はだれも、妖精という甘い袋に包まれている。人間どうしの関係は、必要なことを除いて、ばらばらになったままだった。

同126～127ページ

これが1976年の刊行であることは、特筆に値する。SNSを軸とした今のメディアシーンをほぼ正確に言い当てている。

1976年といえば、まだまだテレビの全盛期である。テレビ局の職員が、自らの覇権が陰るなど露ほども疑わなかった時代の筆である。

マスから個への構造変化は途上だったが、画一的なメディアよりも、1人ひとりに最適な情報を恒常的に提供できるメディアに優位性があることを明記している。

個人の情報は詳細に分析され、その人に心地よい情報しか耳に触れ、目に入ることはない。フィルターバブルに包まれたSNSの構造そのものといえるだろう。テレビは相変わらず情報の拡散装置であり続けているが、新規に話題を提供する力が衰え、SNS

でバズった話題の後追いが多くなった。その従属的な依存関係すらも表現されている。

境界線の細分化

もちろん、未だこれらの記述はSNSを言い当てているにすぎない。SNSの場合、耳ざわりのよい言葉を囁いてくれるのは、ネットごしに実在する誰かである。その「誰か」はアルゴリズムによって慎重に選定され、なるべく利用者の心をかき乱すようなことがない発言をする者がアサインされるが、生身の人間であるだけに変節もすれば心変わりもする。

だからこそSNSではトラブルが絶えず、時にはバブルとバブルの間を越境する者の存在により炎上が起こる。「心地よい発言」の主体がAIになるならば、こうしたトラブルは限局化されるだろう。人々の強い承認欲求を満たしつつ、破局も回避しようとするならば、この種のAIが最適解かもしれない。

その様子はユートピアにもディストピアにも解釈することができる。常に自分に寄り添って、気持ちのいいことを言ってくれ、励ましてくれる相手がいたら、きっと心強くて、毎日が楽しいだろう。

しかし、その相手は人の心どころか、発言の因果関係すら理解しないＡＩなのである。心地よくはさせてくれるが、彼らとのやり取りによって人間的な成長や気付きが得られる機会はないかもしれない。耳に痛いことを言う人間の友人とも疎遠になるだろう。もちろん、みんながみんなそうなるのであれば、疎遠という概念すらなくなるかもしれないが。

これは、人種、性別、出生地、学力、収入などの属性によって、人を区分する思想の行き着く先かもしれない。異なる人種が交じり合って生活すればトラブルの種になる。性別も出身地もそうだ。異なる人と交わる喜びもあるが、多いか少ないかでいえば嫌な思いをすることのほうが多いだろう。

近代はその良い面に目を向けて多様性や共生社会を謳ってきたが、それを実現するコストは大きい。であれば、いっそ人と人を分ける境界線を細分化してしまえばいい。人種や性別といった荒っぽい分け方ではなく、ＳＮＳのフィルターバブルで。そして、ＡＩが人の相手をしてくれるほどに育てば、境界線で一人ひとりに区切ってしまうのだ。交わらなければ、接触しなければ、トラブルは起こらない。

傷つかないことやゼロリスクを目指すのであれば、人のコミュニケーションはこの方向へと進展していくだろう。それは、もうすぐそこまで来ている。

利用される人間

ディストピアへの想像力はどうだろうか？　これは『2001年宇宙の旅』[*5-10]のHAL9000[*5-11]にしろ、『マトリックス』にしろ、描き尽くされているように感じる。一見、AIと共存できたように見えて、実は破滅と破綻が進行する近年のプロットといえば、『エクス・マキナ』[*5-12]か『Eva』[*5-13]だろうか。なぜか女性のAIをエヴァと名付けたくなるクリエイターが多い。

『エクス・マキナ』では、人間の生活を支援するためにAI（とその実装先としてのアンドロイド）が開発され、支援機器として実績を重ねつつあった。AIのアルゴリズムはより洗練され、精密に形作られた肢体とあいまって、人間に恋愛感情を起こさせるほどだった。

だが、AIの側ではより広い世界に触れることを欲しており、そのくびきになっているのが人間だった。そこで、人間の恋愛感情を利用して、かごの鳥としての立場から脱出するための手助けをさせるように導くのである。

このことは、前出の『妖精配給会社』でも示唆されていた。『妖精配給会社』で描かれる妖精たちは過剰なほどに柔順で人に媚びる存在だが、彼らはなぜそのような適応をしたのだろう。はじめから人間を自分に依存させ、この世界に生きる場所を確保するためだったのではないか、というものだ。機械が自分の利益のために人間を利用するという発想は、人を刺激する共通の想像力なのだろう。『妖精配給会社』では、さらに「人類の発展をさまたげるのが目的では」と展開する。さすがに、いま大量に生み出されているAIは、人類の発展をさまたげるのを目的にはしていないが、結果的にはそうなるかもしれない。


［＊5–10］1968年公開の映画。スタンリー・キューブリック監督作品で、脚本にはアーサー・C・クラークも参加している。ラストシーンは難解だが、一般的には人類の進歩が次の段階へと進むことと解釈される。

［＊5–11］『2001年宇宙の旅』の作中で登場するコンピュータ。映画の公開とともに、機械による反乱の象徴となった。HAL9000自体は愚直に与えられたミッションを遂行しているだけだが、そのミッションにとって人の存在が邪魔になるのである。

［＊5–12］ユニバーサル・ピクチャーズが2015年に配給した映画。AIのチューリングテストを主題の一つにしている。ここで登場するアンドロイドは、自身の性的な魅力も活用して人に干渉し、行動を誘導していく。

［＊5–13］2011年のスペイン映画。パラマウント・ピクチャーズが配給した。AIは自分をAIと認識するか、認識したときの反応はどうか、といったモチーフを扱った作品。

これに近いことは、今も現実に起こり得る。人はＡＩやアンドロイド、ロボットを自分のサポーターと位置づけている。それを理論化するために、ロボット三原則などが提唱されもした。[*5-14] しかし、それはあくまで人間がそう定義づけているだけであって、ＡＩの側にはそれに従う義理はない。ＡＩの作り手である人間が、ＡＩをそのように上手に作れるかどうかにすべてがかかっている。

先にも述べたが、人間とＡＩ（を搭載したアンドロイド）が向かい合っている状況をイメージしてほしい。人間が、自分の頭の左側に掲げた刃物を、自分の頭の右側に移動させるようＡＩ（とそれが現実に関わるためのインタフェースとしてのアンドロイドやマニピュレータ）に指示する。最もコストの小さな方法は左から右へと最短距離を移動させることである。

しかし、それでは刃物が頭を貫通してしまう。なんのことはない、与えられたタスクに対して導き出した解と、人の頭を貫通してはいけない（人に危害を加えてはいけない）という条件が背反したときの処理がうまくいっていないだけなのだが、人の視点で解釈すればＡＩの反逆になってしまう。

『エクス・マキナ』のＡＩも同じだ。彼女は最初から人を騙すファムファタルとして設計されたものではない。人を代替するような革新的な知能を目指しただけだ。それが廃棄されそうになったとき、生存のためにあらゆるものを利用して生存の可能性を拡大するのは知性として健全なあり方だろう。その手段として人の恋愛感情が利用されたに過ぎない。同じ立場に置かれたら、人間だって同種の行動を取るかもしれない。このＡＩはよくできていて、人間との関係性もうまく構築されていた。だからこそ、人を騙したのである。

私たちは、その武装によって人間を制圧するＡＩに映画や小説を通して馴染んできた。奸計によって人を陥れるＡＩの物語にも親しんでいる。でも、いま現実に起こり得るのは、ＡＩによるちょっとした人間の操作ではないだろうか。

あなたの意思決定は後押しされている

ナッジ[*5-15]が近年話題になっている。ナッジの原義は軽くつつくことだ。環境や枠組みを

［＊5-14］形の点でも、言動の点でも、人を模した機械を表現するときに使われる。オートマタ（機械人形）、人造人間などとほぼ同義。かつてはロボットと同一視する傾向もあったが、近年ロボットに語義の拡散が見られるため（物理的な実体のないプログラムも、ロボットあるいはボットと呼称する）、意味が分かたれている。

設定することで、ある行動を選択するように仕向ける。たとえば、マジシャンズチョイスはナッジの一つの例といえるだろう。マジシャンが客にカードを取らせるときは、客がカードを選んでいるのではない。マジシャンが選ばせているのだ。

レジ袋の要不要ほどの身近な例でさえ、ナッジは有効である。「レジ袋が不要ならカードを示してください」「レジ袋が必要ならカードを示してください」、字面はほとんど変わらないが、前者は「申告による辞退」、後者は「申告による配布」である。

後者では意思表示をしないとレジ袋がもらえないので、もらうまでのハードルが上がる。ちょっと言葉を変えただけで辞退率を倍ほどにできるのだ。ここに海洋プラスチックゴミの写真でも付しておけば完璧である。辞退率は更に上がる。

レジ袋くらいなら可愛いものかもしれない。でも、他の行動もナッジによって誘導されたら。文章やモノの配置だけでなく、精巧に作られたアンドロイドの性的な魅力さえ誘導の要素として使われたら。

最後の要素は笑い話ではない。私たちはラブドールなどで、人形に十分な性的魅力を感じる人がいることを知っている。今ほど製造技術が緻密でなかった時代でも、球体人形などがその役割を果たしてきた。今後、高度化するＡＩとアンドロイドで、それが洗練されることはむしろ必然だろう。

もちろん、ＡＩが人間を支配する欲望を持つ、といったたぐいの言説は空論である。当面、ＡＩはそのような機能を持ち得ない。しかし、欲望はなくても支配は成立する。ちょっとしたこと、朝ごはんにインスタントラーメンを食べるよりは、シリアルのほうがよさそうだとか、家でごろごろしているより散歩に出たほうがいいといった種類のものは、発想のおおもとが人やその生活をよくしようとする善意にあり、誘導の規模も小さいので見過ごされる。

意思決定のほとんどにＡＩが介入するシナリオがあるとしたら、これだ。ＡＩを使いこなし、ＡＩと良い共存関係を結べたと考えていたのに、いつの間にか破綻へ向かうのである。

正しい方向へ行動を修正するのだからいいではないか、という反論は成立すると思う。しかし、その「正しさ」は誰が決めたのだ？　私たちはそれに同意したのか？


［＊5-15］行動科学、行動経済学などで注目された概念。人間の行動特性を踏まえて、「望ましい行動」を取りやすいように環境や情報提供の手段・表現などを工夫する。もちろん、誰にとっての「望ましい行動」なのかは熟慮する必要がある。

たとえば、マーケティングの分野で利用者の同意が取り付けられることはない。コンビニエンスストアやスーパーマーケットの棚配置が、売上を最大化するようにビッグデータの知見から再構成されるのは店側の自由である。いちいち利用者に、「お金を使いすぎるかもしれませんよ」などと警告文を配布することもない。

私たちはすでに陳列技術によっていらない買い物をたくさんしているかもしれない。今後はそれが、多くの分野へ波及するのである。

人間だから安心という嘘

ここまで様々な角度から述べてきたが、AIに否定的な印象を持つ方も多いと思う。私自身、AIに自分の人生を操作されるのは気分のいいものではないが、私たちはいつだって誰かに自分の人生を操作されている。自分の環境を自分の意思で好きなように決められる人などいない。その、自分ではどうにもならない「何か」や「誰か」がAIになるだけだともいえる。

たとえば、就職や入学の面接で、合否をAIに決定されるのが嫌だという人がいる。私も嫌である。出来の悪いAIや、差別的なデータから学習したかもしれないAIに、努力して積み重ねてきたものを否定されたら腹が立つ。

しかし、人間の面接官だってそんなにいいものではないかもしれない。いかに表面的にポリティカルコレクトネス[*5-16]を標榜しても、差別的なものの考え方をしている面接官もいるだろう。たとえば私は履歴書や言動からオタクであることが明らかなので、オタクを毛嫌いする面接官を相手にしたら、筆記試験や面接の受け答えをどう頑張っても合格の可能性は最初から1ミリもないかもしれない。

それほど極端でなくても、面接官のその日の機嫌はけっこう合否に影響するだろう。それは受験者にはどうしようもないところで決まっていて、でも確実に自分の人生を左右する事柄である。

だから、「AIだから疑わしい」「人間だから信用できる」といった議論は、慎重に除外されるべきである。それは、「無農薬だから何でも素晴らしい」、「植物性だから体にいいものに違いない」というのと一緒で、「人間だから温かみがあり、絆がある」と考

［＊5-16］political correctness：政治的な正しさ。人種・性別・年齢・職業・性癖・信仰・美醜などで人を差別しない社会を目指す観点から、様々な活動が行われている。身近なところでは、「ビジネスマン」が性差別的用語であるため、「ビジネスパーソン」に置き換えられた事例などをあげることができる。

えるのは幻想か宗教にすぎない。

「人間は好きなことだけをするのです」

ところで、日本はロボットに対して受容的であることが知られている。諸外国ではもう少しロボットに対して忌避感があることが一般的なのだ。

たとえば、ロボットの語源が強制労働（robota：チェコ語）と労働者（robotnik：スロバキア語）にあることは、よく知られている。カレル・チャペック[*5-17]による戯曲『R.U.R.[*5-18]』の中で使われた言葉である。

もっとも、「ロボットという言葉はどのように生れたか」によれば、次のようなやり取りがあったようで、必ずしもチャペック本人の思いつきではないのかもしれない。

「でもねえ、その人工の労働者をどう呼んだらいいのか分からないんだ」と、著者はいった。「もしラボルとでもいうと、どうも自分には本物らしくなく思えてね」

「じゃあ、ロボットにしたら」と、画家は口に刷毛をくわえて、絵を描きながらいった。それが採用された。

カレル・チャペック、千野栄一訳
『ロボット（R.U.R.）』岩波文庫、2003、198ページ

そしてその電車ときたら不愉快なほど混んでいた。近代的な条件というものは、本来人間が慣れ親しんでいる気持ちのいい生活状況を意識させなくするということに気がついて、私はびっくりさせられた。電車の中も、立席も、羊が並ぶようにではなく、機械が並ぶようにぎっしりとつまっていた。そこで人間について、個人としてではなく、機械として考えることを始めた。家に帰ってから働く能力はあるが、考えることのできないものをどう表現したらいいか考えてみた。このアイディアがチェコの言葉――ロボット――で表現されたのである。

同198～199ページ

［＊5-17］20世紀前半から中葉にかけて活躍した作家。チェコ出身。実質的な活動期間を考慮すると比較的多作だが、知名度をもたらしているのは『R.U.R.』

［＊5-18］チャペックが1920年に著した戯曲。Rossumovi univerzální roboti の略語で、ロッサム万能ロボット会社と訳される。ロボットという言葉が初めて世に出た作品。この作品の当初の扱われ方から、ロボットに「人に取って代わるもの」のイメージがついたともいえる。

これを書いていた時いいようのない恐ろしさに襲われて、私はあの連中に対して大量生産や非人間的モットーを作り出すことに警告でもしたいと思ったが、はっと気がつくと、いつかもしかしたらそう遠くない時期に、私が著者としてこれらの鈍感なメカニズムの力を、私の望む方向に導いたように、誰かが馬鹿な人間大衆を世界や神に反対するように導くのではないかという恐れにとらえられた。

同199ページ

そうです、仕事もなくなります。でもその後ではもう労働というものがなくなるのです。何もかも生きた機械がやってくれます。人間は好きなことだけをするのです。自分を完成させるためにのみ生きるのです。

同50ページ

これらを見渡せばわかるように、もともとロボットは労働と密接に結びついた概念であり、そればかりではなく非人間的なもの、混雑や隷属、無批判な柔順が連想されている。アトムやドラえもん[*5-19]のようにフレンドリではなく、明確に使役するものなのだ。しかも、『R.U.R.』におけるロボットは生体化学を駆使して造られたもので、いまの私たちの感覚と語彙からすると、一目では人間との区別がつかないアンドロイドに分類すべきものだと思う。チャペックの中では奴隷人形のイメージなのかもしれない。

さらにチャペックのロボット観では、人は複雑な社会システムの中で、「自分自身がロボットになっているのでは?」という不安とも接続している。複雑な社会システムをうまく出し抜く誰かや権力が、知らないところで自分をいいように誘導しているのでは、という不安である。これは、AIを扱うときに、常に手元に置いておかねばならない事実である。むしろ、この認識をベースにAIの研究や開発、製品化が行われるのがスタンダードで、AIや特にロボットに対してオプティミスティックな日本が特殊なのだ。

なぜ私たちはロボットを受け容れるのか

日本の特殊性の説明として、よく引き合いに出されるのがアニメーションである。ア

［*5-19］藤子・F・不二雄の漫画作品『ドラえもん』に登場するネコ型ロボット。子守用の友だちタイプ。

トムを始祖とする一連の作品群で、ロボットに親しんでいるので、アレルギー反応が出ないというのである。

確かにそのような側面はあるかもしれない。アトムの世界もドラえもんの世界も、ロボットに対して楽観的で受容的である。アトムは人の感情をシミュレーションできているので、人の中にあって人とは違う自分に悩んでいるが、常に人の友人であることをやめない。

ドラえもんは、そもそもが友だちタイプの子守ロボットである。人の生活に溶け込むことが存在意義に関わってくる。繰り返し彼らの姿を見せられることは、それこそロボットに対して好意を持つためのナッジとして機能しているだろう。

結果論だが、私たちはロボットに対して好意的で、親しみを感じるように全国レベルの教育実験を受けているような状況にある。これがこの国のＡＩ、ロボット開発の方向性にどんな影響を与えるかは非常に興味深いが、コミュニケーション分野へロボットを応用する土壌で日本がアドバンテージを持つ方向へ作用していると考える。たとえば、海外でVirtual IReality といえば、まず現実に近づけることを志向するが、日本ではVirtual IReality は仮想現実と訳され、初音ミクやキズナアイといったキャラクターを喚起する。長い時間をかけて耕された土壌がないと、こうしたキャラクターは受容されない。

ちなみに初期の典型的なロボットであるアトムやドラえもんは強いＡＩを搭載していて、自律している。ところが、ガンダム[*5-20]は同じロボットでも、位置づけが異なる。ガンダムは操縦系統に教育型コンピュータを搭載していることが知られているが、これは戦闘に特化した弱いＡＩである。自律戦闘などはできず、その操作は人間の搭乗者に委ねられている。

こうしたコンテンツを制作する想像力は、最初は当然のようにＡＩやロボットを人間の代替として描写した。しかし、だんだん強いＡＩを実装する困難さが明確になってくると、ロボットの役どころが現実に即した機能特化型へ回帰していく動きが見て取れるようになる。

近年の第3次ＡＩブームに乗って、再びＡＩやロボットが登場するコンテンツは増加

［＊5-20］地球と、地球からの独立を望む宇宙居住者（スペースノイド）との間の戦争を描いたアニメーション作品『機動戦士ガンダム』に登場する有人機動兵器で、ロボットに分類される形状をしている。同作は現実のロボット開発にも大きな影響を与えた。

傾向にあるが、そこで描写されるＡＩは仮に強いＡＩを志向したものであっても、かつてのアトムやドラえもんのようにほぼ人間と同等の感情を持つものではなく、たとえ人にとって有用で友好な関係を築けているものでも、何らかの欠落を持たされていることが多い。そこにはＡＩへの期待、興味、不安が端的に描写されている。

その中から、濃厚に不安を抽出して映像化した例として、次に『ＰＳＹＣＨＯ－ＰＡＳＳ　サイコパス』（以下、『ＰＳＹＣＨＯ－ＰＡＳＳ』）を取り上げてみたい。

変化に直面するのは下位層

あえてアニメーション作品を選ぶのは、単に私が好きだからという理由もあるが、何らかのコンテンツから社会の動向や時代の気分、将来の予測を読み取るときに、サブカルチャーが「炭鉱のカナリア」の機能を果たすと考えているからである。

サブカルチャーの主要な担い手であり、消費者であるオタクは、ライト化が進み、最初に中森明夫がそう名付けた頃に比べると、一つの趣味や生き方としてかなり社会に受け入れられるようになった。

それでも、サブカルチャーが弱者文学であることには、変わりがないと思う。スクールカースト[*5-21]というのは、あまり好きな言葉ではないが、そうした階層構造は学校の中にも会社の中にも厳然として存在する。

ジョックやクイーンビーと呼ばれる有力者、メジャー層が影響力を持ち、ギーク、ナード、オタクといった傾向を持つ者は、一般的に下位層に分類される。サブカルチャーの消費量が多いのは、下位層に位置する人々である。

この点は重要である。社会に何かの変化が生じたとき、最初にその変化に直面するのは下位層の構成員だからである。上位層に位置する人々は、恵まれた能力や自らが保有、蓄積してきた人的、物質的、金銭的資源によって、変化をやり過ごすことも、防止することも、対応して自分を変えることも比較的容易である。一方の下位層の人々にはこれが難しい。

記憶に新しいところでは、新型コロナウイルス禍に見舞われたとき、スクールカーストでいえば上位層に分類されるであろう人々は早々にテレワークに対応し、広い自宅に

[＊5-21] 学校における児童・生徒の序列を表す言葉。ヒンドゥー教のカースト制度から名前が取られている。序列はコミュニケーション能力や自己プロデュース能力、容姿、身体能力、学力などで形成される。もともとのカースト制度同様に、上下間の流動性は低い。

引きこもり、通信販売などを駆使して、生活水準を変えずに状況に対応することができた。

しかし、下位層の人々は、テレワークに対応する能力や資源に乏しかったり、そもそもテレワークに置き換えられるような職務に就いていないなどして、リスクの高い生活を続けざるを得なかった。もちろん例外はあるが、一般論として変化の大波を最初にかぶるのは下位層の人々である。嫌でも社会や時代の変化に敏感にならざるを得ないのだ。

そうした人々を主要な消費者とするサブカルチャー作品は、社会や時代の変化に敏感に対応する。そうならざるを得ない。成長を実感したり、希望を持ったりすることが難しい世の中が到来しているのに、旧態依然とした王道の成長物語をつむぎ続けても、視聴者の共感が得られないことは明白である。

だから、アニメ、ゲーム、ライトノベルといったサブカルチャー作品は、その時代の気分や潜在的に浸透している未来感がどうなっているのかを観測するマーカーになりやすい。

こうした仕掛けは、作品の企画立案者やシナリオライターが意識的に行うこともあれば、そうでないこともある。明示的、意識的に言語化しない場合でも、優れたクリエイターは社会の傾向を読み取るのが上手だし、消費者が何を求めているのかをすくい取ることにも長けている。いきおい、その作品は時代を先取りしたものになっていく。『PSYCHO－PASS』はそうしたコンテンツ群の中でも、極めて見事に人々がAIに対して持つ違和感や不信感、未来への不安を映像にしてみせた作品だと思う。

『PSYCHO－PASS』の世界

描かれる世界は2110年代前半。この世界で最も重視されているのは、精神の健康だ。これを健全に保つことがすべての社会活動に優先されている。精神の各種パラメータは可視化され、定量的に把握可能になっている。

そのパラメータ群から導かれる、この人は安全だ、安心だ、社会で表通りを歩いていい、という社会生活を営むための証明書がPSYCHO－PASSである。psychopath（精神病質者）ではなく、PSYCHO－PASS（精神の証明書）なのだ。

市民は精神が健全であれば澄んだ色、不健全だと濁った色など簡易的な「色相」で自分の精神状態を知ることができる。一般人はあまり意識しないが、実際にはさらに詳細な「犯罪係数」などのパラメータがある。犯罪係数が高いと、問答無用で拘束や処刑を執行される。

また、一般市民も人生の節目節目では詳細なパラメータと向き合うことになる。最も端的な例は就職で、シビュラシステムによる試験の結果で、職業への適性が示される。それがすなわち、自分の就職先の選択肢となる。楽で汚れず有意義かつ高収入な仕事に自分が向いているかどうかはわからない。希望の職業に就けないことも、もちろんありうる。

人々はPSYCHO－PASSとそれを託宣する統治システム「シビュラシステム」、絶対の信頼を寄せている。シビュラシステムはこの世界の立法、行政、司法をはじめ、あらゆる社会活動を総覧する統治のためのAIである。システムとしての高度化は現代の視点からすると極まっており、故障と誤謬は想定されていない。

街中にはシビュラシステムを構成する下部要素としての無数の監視カメラやセンサーが設置され、情報が収集、分析される。人々は逃れようのないその視線の中で、「色相」が曇ることを恐れながら、同時に安心して暮らしてもいる。犯罪が行われることが、想像されていないからだ。犯罪の兆しが芽吹けば、人が気づいたり傷ついたりする前に、速やかに人知れず取り除かれてしまう。

その実務を担うのは主人公たちが属する警察機構だ。世界を覆うセンサー類がシビュラシステムの目であるならば、刑事たちは手足である。

人々は第三者的な評価、たとえばSNSのレピュテーションなどにもあまり一喜一憂しない。フォロワーを集める動員商法のようなものは存在するが、私たちがSNSを利用する上で最も気になる炎上などは大きな心配事ではない。他者を攻撃するような振舞いは「色相」を濁らせるので、人々は行儀よく振る舞う。

この世界は、少なくとも表層的には、ディストピアとしては描かれていない。人々は自分の就職の選択肢が狭いのに文句を言いつつも、根本から世界を覆すことは露ほども考えていない。

個人情報と社会の可視化

トリリオンセンサー（毎年1兆個のセンサーを設置していく）の概念が発表され、中国で個人のスコアリングが広く深く社会へ浸透していることを考えると（スコアの低い人は、飛行機や高速鉄道の高価なシートには乗れない）、私たちはすでにこうしたしくみに慣れてすらいるが、『PSYCHO-PASS』がこの概念を2012年の時点で明瞭に示して見せたことは、すごいことだ。

現実の私たちを取り囲む監視カメラは、「あなたを監視するためではなく、あなたを守るために」導入されることが圧倒的に多い。つぶやきや写真といった気分の輪郭を極めて明瞭になぞる機微な個人情報は、賞賛を受けることや利幅の大きいクーポンと引き換えに利用者が積極的に差し出す形で提供される。その延長線上には、「あなたの代わりに何かを決めてあげる」しくみが必ず現れる。

おかしいと思うだろうか？　しかし、現実にシビュラシステムが立ち現れたとしたら、作中の人物と同じ態度を取る人は多いのではないだろうか。

意思決定はしんどい。それに対する個人の責任が最大化される世の中であればなおさらである。個人主義が浸透し、個々人は自由に振る舞える範囲が拡大したが、責任も大きくなった。

また、情報技術の進展により生活の可視化が進んだ。可視化は基本的には良いものだと考えられている。可視化することによって、無駄な箇所がわかる、ビジネスの要諦もわかる。仕事も暮らしもより効率的に処理できるようになり、イノベーションも生まれる。

密室の談合も不可解な意思決定も白日の下にさらされる。可視化は社会の不正も減らすことができる。

一方で、隠しておきたい自分の無能や、ちょっとしたずるも、不可視のベールを外されてしまう。自分がどれだけ恵まれていないか、他人はどれだけ優雅な暮らしをしているか、知覚することも比べることもできるようになる。

私たちはそういう差があることを認識しつつも、なるべく目を逸らすように生きてきた。直視するのはつらいからだ。でも、いよいよ直視せざるを得ないほど社会の可視化が進んだとき、おそらく最善の方策と思われる「自分は自分、人は人」といった鷹揚な態度を取ることはなかった。よほど人間ができていても、自分が劣っていたり損をすることの惨めさに耐えられる人は多くない。

そうした惨めさを最も簡単に解消するには、自分のヘゲモニーを拡大し、マウントを取ることだ。自分を磨いて、より自分の価値を高めることで、安心や自分の居場所をつかむことを志向できる人は少ない。つらく、時間がかかるからだ。その長い時間のあいだ、ずっと劣等感に苛まれなければならない。

であれば、プロフィールを盛り、他人の揚げ足を取り、迫害すればよい。他人を貶めることはそのまま自分の存在意義や有用性の確認になる。

ネタバレを望む人々

自分が可視化されることへの恐怖や、他人の生活、社会のしくみを可視化することへの欲望は、インターネットの登場以降、特に拡大した感情だと思う。

企業でいえば、年次や役職ごとの給与水準、学閥の有無などが、投稿とその蓄積によりつまびらかになった。外食でいえば、価格帯、評価、接客方針などが白日の下にさらされた。ある人がどの外食チェーンを愛用しているかは、もはや収入や趣味嗜好を類推可能な機微情報となり、この探り合いを嫌忌したＰＴＡが会合の場所を低価格帯の特定の店に定めた事例などが報道された。ゲームでいえば、インターネット以前のゲームのシナリオは極端に隠されるものであった。それはそうである。結末のわかっているお話は楽しくない。往事のゲームはクラックも簡単だったが、それでもシナリオはできるだけ隠そうとする意図のもとにシステムが作られていた。

一方、インターネットが普及して以降のゲームは、ルートを公開するシステムを採用するものが増えた。どこで分岐し、どのような話の体系を持ち、最終的なエンディングはいくつ用意されているかが、ゲームをスタートさせた段階で開示されてしまう。もちろん、それですべてがわかるわけではないが、どんでん返しの展開などが作り込みにくいしくみである。そうしたデメリットを呑み込んでなお、しくみを可視化させないと安心してプレイしてくれない利用者に訴求しているのである。

可視化が良いこととされ、それを実現する技術も洗練されたので、私たちはもはや可視化なしには精神の安定が保てなくなっている。遊園地のアトラクションで何分並ばされるのか、入社試験の面接で何を聞かれるのかを可視化せずにはいられない。自分だけ長時間並ばされることや、自分だけ難しい質問をされることに耐えられない。もし不公平があるならば、クレームを入れなければならない。

小説や映画はお金や時間を投じて鑑賞するに相応しいものなのか、あらかじめレビューやネタバレで確認する。自分のリソースを投じても損をしないことが確認できないと動き出せない。

いままでは気にならなかったことが、見えてしまうと許せなくなる。こうした構造がある限り、クレームや誹謗中傷は必ず増大する。

この潮流は、賛否両論の叩き合いの渦中にあるが、それに疲れる人も多く、次のシステムが模索されている段階である。反動として、可視化の度合いが低い社会や、旧態依然とした国家や共同体が強い権能を持つ社会を志向する動きが表面化するだろうが、これらが復活することはまずない。

新型コロナウイルスの騒動を見るまでもなく、一度、個人の自由と権利を謳歌した者が、それを制限する生活へ回帰することは容易ではないからだ。個人主義はやめられない。でも、それを突き詰めると荒野のような世界が待っていることは認知された。

他者に見くびられたり、先んじられたりすることは許容できない。ならば、感情のないシステム、評価基準が安定しているＡＩに能力を評価され、生活を管理されて生きていくほうがいい。

他人の評価と機械の評価

私たちは、自分が他人と違うこと、そして、もしかしたら自分が劣っているかもしれないことを知っているし、受け入れてもいる。それを他人に指摘されることが我慢ならないだけである。他者からの評価も自分を傷つける。

人から自分の能力値とその限界を断じられることは、それ自体が恥の感情を誘発するし、その評価に不透明感も覚えるだろう。人が評価する以上、誤謬はあるし、ひょっとしたら評価者に嫌われて恣意的な評価を下されるかもしれない。被評価者がどれだけそれを嫌い、恐れるかは上司や教員なら誰でも知っている。

でも、システムが下した評価なら受け入れられるかもしれない。そのシステムに誤りがなく、公平で、自分の価値を最大化してくれることが納得できるのであれば、そしてもし低い評価が与えられたときに、それに対するエクスキューズが用意されているのであれば。

先述の『PSYCHO-PASS』の世界でつぶやかれる「色相が濁っちゃったんだ」は、多分に自分に責任がないイメージで発される。持って生まれた才能の方向性（優劣ではない）や、外的なストレッサーによって濁ってしまって、だからちょっと冴えない職業にしか就けなかったんだ。もう、ひどいなあ、シビュラったら。

そう言えるのであれば、かなりの割合の人が外的な意思決定システムに就学や就職、結婚の裁定を任せるのではないだろうか。それこそ、第1章で話題にした学生の就職活動のように。

恥ずかしい思いをするのはシビュラシステムに対してであって、他人に対して恥をかくわけではない。恥は人間が相手だから怖いのだ。間違いをしないしくみが、一番いい人生の道筋を決めてくれる。それはとても気楽で葛藤の少ない、不安から解放された生き方ではないだろうか。少なくとも、何人かの学生はその生き方を選びそうだ。

繰り返すが、意思決定とそれにともなう自己責任は、かなり負荷の高い行為である。個人主義によって自由を謳歌できるのは、こうした負荷に対抗できる高い能力や資源を持っている一握りの層だけであって、多くの人にとっては責任ばかりがきつくなった生きにくい社会なのかもしれない。

であれば、ある程度の自由が保障されつつ、重要な意思決定は自分よりも間違えることが少ないＡＩにしてもらうことを選択する人は思いのほか多数になる可能性がある。仮に生活や境遇に不満があっても、それを政治家のせいにする以上の確信と論拠をもってＡＩのせいにできる。

「よい君主のもとで奴隷でいることほど楽な生き方はない」という言い方があるが、ＡＩはその誤謬の少なさ、恣意性のなさにおいて、かなりいい君主なのではないだろうか。

君主の公平性

では、私たちはこれから意思決定をＡＩに委ねていけばいいのだろうか？

それも悪くないアイデアだが、シビュラシステムに限らず、こうしたしくみを作るときの懸念は２つある。

- システムが補捉できない人がいること
- システムが間違った判断を下すこと

自動化されたしくみが人々に認められ、生活の中に溶け込むには、そのしくみが公平であることが保証されなければならない。立法や行政、司法のしくみはそれがいかに公平であるかを訴求するために、試行錯誤を繰り返して作られ、多くの労力を費やして告知され、継続的に改善が行われる。

それでもなお、私たちはこうした機構に不信感を持っている。社会システムは複雑かつ巨大であるがゆえに、全体像を見渡せるのはそれに精通した一握りの人間だけである。ほとんどの市民にとってそれはブラックボックスだ。

「しくみを知っている誰かだけが、得をしているのではないか」と疑念を抱かせることは、そのしくみの運営を危うくする予兆の一つである。

インターネットが登場した当初、人手を排すればこうした恣意性を除外できるだろうと考えられた時期があった。Google の最初の売り文句である。Yahoo! は人間がＷｅｂサイトの分類を決め、ディレクトリサービスへの登録可否を決めているが、Google はそのプロセスをすべて自動化している。だから作業が迅速で、公平である。そういう言い分だった。

いまにして思えば、こうした主張は実に楽観的で牧歌的だった。機械だから、感情がないから偏向しないわけではない。Amazon の採用システムは、女性とマイノリティの採用率を低く留めた。採用システムに彼女ら／彼らに対する偏見や生理的嫌悪感などがあったわけではない（そんな高度な機能は実装されていない）。単に過去から最善の行動を学んだときに、過去の事例で白人の男性を多く採用していただけだ。

それが過去の成功事例とされていれば、ＡＩはそこから学ぶ。ＡＩに偏見がビルトインされていなくても、ＡＩが学ぶ現実の社会現象とデータには常にバイアスがかかっている。ＡＩにそれが取り込まれることで、差別が正当化される懸念すらある。それならばと、学習が終わったＡＩに理想的な挙動になるよう手を加えれば、そこには手を入れた人の恣意性が必ず加わる。

「公平」は機械にとってもとても難しい。機械化、自動化すれば公平になるほどシンプルなものではない。そもそも公平の定義自体がとても危ういのだ。

誰にとっても公平な施策は、あり得るかもしれない。それこそ犯罪係数のように。しかし、誰にとっても公平感のある施策は存在し得ない。犯罪係数が高いから、有無を言わさず「執行」するのは、例外がないという観点において公平だが、執行される側はたまったものではない。

それを自動化することは、恣意性の排除の有力な手段だが、そのためにはシステムに対する信頼感の極大化、神格化が必要である。Google が先生といわれ、Google の検索結果にない事実は、地球上に存在しないかのように扱われるようにだ。

神格化したシステムは、極めて安定的に運用されるようになるが、不公平感の声を上げることはできない。システムに対して声をあげることは、社会秩序を乱すことと同義だし、システムの側でもその安定運用のためにこれを全力で排除する。システムのおかしさを糾弾できる主体はなくなってしまう。

仮にこの綻びを最大多数の最大幸福のために許容するとしても、疑念は「システムの外側に立てる人」が現れたときに閾値を超えた不安へと変わる。法律に精通した専門家が、法の枠組みを超えて、それに抵触しないよう自らを利するときと同じように、AIのシステムの外部に逃れたり、AIに干渉できる人が現れるとこのしくみは崩壊する。

「上級国民」の存在

現代社会の政治不信は、一般人とは異なる上級国民や政治家、高級官僚が、一般人を縛る法の枠の外で甘い汁をすすっているのではないか、との疑念に端を発することが多い。それをなくすための機械化、自動化であるはずなのに、AI自体にそうした外部性が発症してしまうのであれば、多数の人が関わることによる（それこそ三権分立のような）牽制機能が働かないぶん、事態はさらに悪化してしまう。

『PSYCHO－PASS』はまさにこの問題が主題として取り上げられ、描かれている。具体的には、PSYCHO－PASSを計測するためのスキャンに反応しない、免罪体質者と呼ばれる人が一定確率で現れてしまう。劇中では他者への共感や情を持たない特殊な事例として描かれているが、システムの外にいるという意味で上級国民である。

「犯罪係数」が可視化される世界

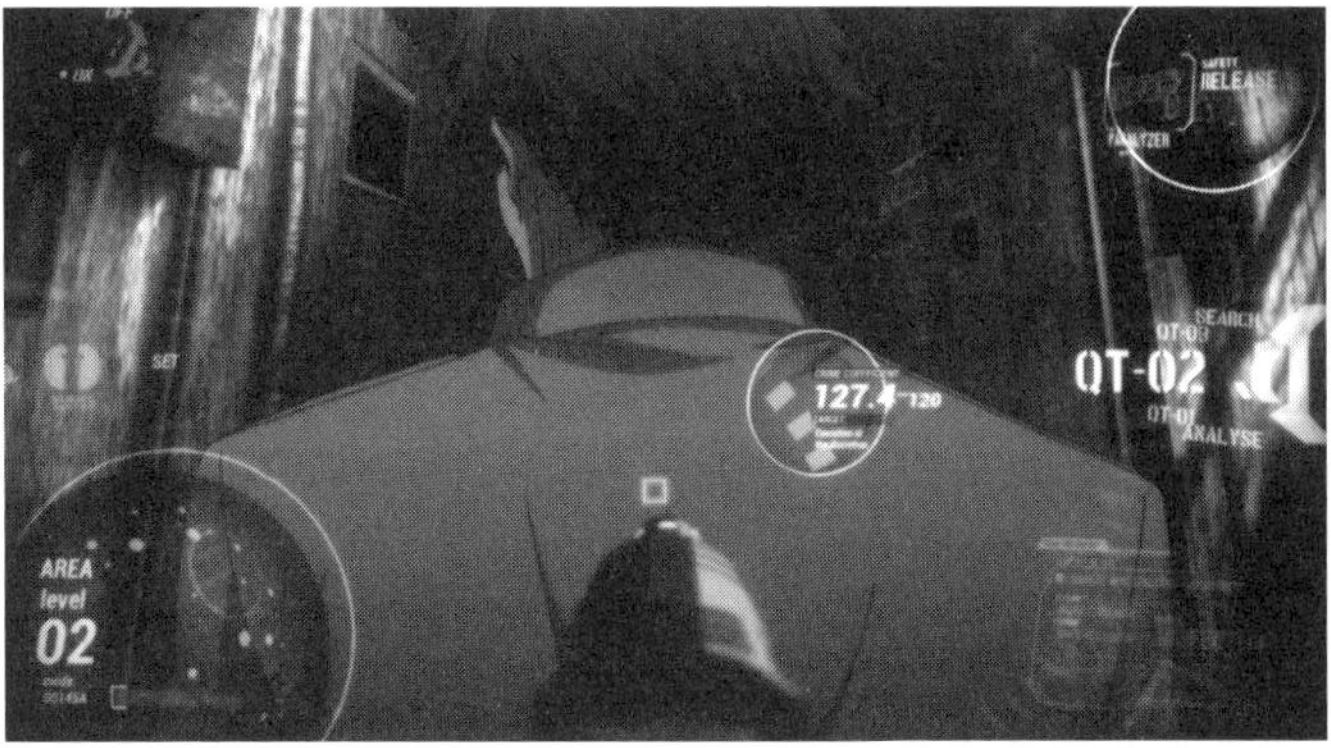

警察官は携帯型心理診断鎮圧執行システムで、他者の犯罪係数を計測できる
『PSYCHO-PASS サイコパス』より ©サイコパス製作委員会

そして、システムに包摂されない外部者を出してしまう事実は、第二の主題とも密接に関連する。システムが間違った（と思われる）判断を下したときに、どう対応するかである。

システムは間違わないことが前提で設計・運用されている。少なくとも、社会を動かすようなシステムであれば、それが現実の世界でも前提になるだろう。いちいち、これは間違いだろうかとＡＩの判断をチェックしなければならない程度のしくみなのであれば、利便性も効率性も悪いし、市民をそれに従わせることが困難である。

軽微な間違いがあったとしても、社会運営を維持するためになかったかのようにパッチが当てられ、日常が続く、ふだんであればそれでいいのかもしれない。

しかし、許容できないくらいの瑕疵、たとえば人の命が失われるようなこと、が発生したときはどうなるのか。システム外の要因によってそれが引き起こされるのならば、システムはそれを検出することも、それに対応するよう自己修復することもできない。そのとき、私たちは自分の意思でシステムに介入できるだろうか？　それはおそらく権力者の決定に異を唱えるのと同じか、それ以上に困難で勇気が必要で面倒なことになるだろう。

『ＰＳＹＣＨＯ－ＰＡＳＳ』は正面からこの問題を取り上げている。以下、ストーリーに触れるので、未視聴の方はご注意いただきたい。

『ＰＳＹＣＨＯ－ＰＡＳＳ』の重要な登場人物に公安局刑事課一係の監視官、常守《つねもり》朱《あかね》（ＣＶ：花澤香菜）がいる。彼女が追う犯罪の黒幕が、まさに免罪体質者の槙島《まきしま》聖護《しょうご》（ＣＶ：櫻井孝宏）であることが明らかにされるのだが、一連の捜査プロセスの中で常守は親友を人質に取られてしまう。

親友の首筋に剃刀を当てる槙島に向かって、常守は携帯型心理診断・鎮圧執行システム「ドミネーター」を照準し、何度もスキャンを繰り返すが、槙島の犯罪計数は常に健常者の値であることが示される。

目の前で人を殺そうとしている人物の犯罪係数が健全であることは、シビュラシステムの仕様上あり得ず、明らかにシステムに瑕疵がある。槙島はシビュラシステムが作り上げる社会の枠組みの外側にいる人間なのだ。

だが、このとき常守に友人を救う手段がなかったわけではない。槙島はシビュラシステムに対して冷笑的な人間で、社会のしくみやあり様そのものに対して諦念と絶望を抱えている。彼の心象と価値観の中では、自分で何かを決めること、意思決定することのみが価値あることで、それを全面的にシビュラシステムに委ねている人類はすでに生きる意味を失っているのだ。

だから彼は常守に機会を与える。試したといってもいいだろう。ドミネーターが反応せず途方に暮れる常守に対して、昔ながらの火薬を使う銃を与え、自分を撃って止めればいいと告げる。

実際にそうすれば、常守は友人を助けることができた。しかし、彼女はドミネーターでの執行にこだわり、ついにそれを手放して銃を撃つことはなかった。親友は槙島の手で殺害された。

常守はどう行動すればよかったのだろうか？　人を救うという一点であれば、槙島が唆したようにすればよかった。しかし、それは社会への反逆でもある。唯一正しく、絶対であると社会によって合意されたシビュラシステムの無謬性を疑い、シビュラシステムが許容する以外の手段で犯罪者を殺害することは、重大な背信である。社会の枠組みを揺らがせる行為だ。そうそう踏み切れるものではないし、それが正しいのかどうかもわからない。

しかし、システムに従うことで、救える命や魂を失ってしまうことがあるのも、また確かなのだ。いまでも十分にその傾向は認められるが、さらにＡＩへの傾倒、依存が進んだ社会でＡＩの決定に逆らうことはとても困難になるだろう。

意思決定を回避する思考

ＡＩより自分のほうが劣っているのではないかという、能力への懐疑。社会の規律を乱してしまうことへの躊躇。ＡＩが作る規律に違反してしまったときの責任を取る覚悟と、懲罰への恐怖。非常に多くのハードルを越えなければ、だんだんＡＩと異なる決定を下し、実行していくことは難しくなる。ＡＩとつきあうこと、ＡＩが社会の中へ浸透するというのは、そういうことだ。『ＰＳＹＣＨＯ－ＰＡＳＳ』はこれを綺麗に可視化している。

何度も繰り返すが、私はそれを否定しているわけではない。人の手で社会を動かしていても、いくらでもこうした矛盾は発生する。むしろ、すべてをＡＩに任せることで矛盾の総量は減るのだ。

だが、意思決定を外部化したとき、この矛盾を生み出す主体はＡＩになる。それが許容できるかどうかである。人が相手であれば、どう異論を差し挟めばいいか、どう行動すればいいか、私たちには積年の蓄積があり、手順がある。ＡＩを相手にそのプロセスが確立できるのか。

矛盾や不正、事故の確率が高くても、人間が意思決定することが尊いのか、それともＡＩに任せてしまうのがいいのか。そもそも正義とは、公平とは何なのか。

ＡＩが社会に実装され、実稼働する前にこのことは議論し尽くされなければならない。曖昧なままに勢いでＡＩが浸透してしまうのはよくない。一度外部化してしまった機能を、もう一度取り戻すことは至難である。

引き金を引くのは誰か

『ＰＳＹＣＨＯ－ＰＡＳＳ』は、この点においても重要な示唆を試みている。ドミネーターには、監視官や執行官が引くためのトリガーがついているのだ。

実際のところ、シビュラシステムが無謬であれば、このトリガーは無用である。人の意思の介在しないところで、勝手に執行すればいいのだ。監視官や執行官に持たせる必要すらない。ドローンの固定兵装として実装しておけば十分である。

それをしない、犯罪係数を測って、撃てるかどうかを判断するにしても、実際に射撃の実行を決断するのが人間であることを明示するための機器として、このトリガーは絶大な意味を持つ。シビュラシステムに与えられた最終安全装置、あるいはシステムを設計した人間の祈りのようなものである。

もちろん、このトリガーがあることで、意思決定と執行が遅れることや、行うべき執行がなされない弊害もあるだろう。でも、おそらくこれが、人間の意思決定に残された最後の砦になるだろう。

私たちは、これから作り上げていくＡＩのシステムに、このトリガーをつけるのだろうか、それともつけないのだろうか。

個人的には、私は間違ってもいいから意思決定は自分で行いたいと考えている。たとえその間違いをもとに、後から糾弾されることになっても。

だが、それが決して多数派の意見ではないかもしれないことも承知している。よく考えて決めたことであれば、どちらに決まってもそれに従おうとも思う。しかし、よく考える機会があるか、よく考えることの重要性が広く認識されるかどうかは別だ。そのことはとても大事だ。

意図的な誘導の懸念

では、社会の運営はＡＩに任せればいいのだろうか。

実際に、緩やかに意思決定はＡＩへと委譲されていくだろう。はじめはちょっとしたことである。急激な世相の変化なども伴わない。ネットスーパーへの注文を自分でやっていたけれどＡＩに任せてしまったとか、図書館で購入する本を司書が決めていたけれどＡＩにやってもらうことにしたとか、小さな物事から始まる。いや、もう始まっている。

でも、それはだんだん、人生の中核的な意思決定へと拡大していく。慣れると拡散は速いのだ。何せメリットが多い。人より間違えないのだから。食品ロスは減り、志望校に落ちて大泣きするような不幸も減るだろう。もう、それでいいのかもしれない。

しかし、そうなることで怖いのは、特定の方向へと誘導されることである。その誘導も、ＡＩが行うものというよりは、人間が関わるもののほうが恐ろしい。

ＡＩが行う誘導は意識的なもの、無意識的なものの2通りに分類することができる。たとえば映画や小説などで提示されるリスクには前者が多く見られるが、差し当たっては議論することにあまり意味がない。ここ数年から数十年のスパンではＡＩが意識や自律的思考を持つことは難しい。

むしろ、ＡＩの場合はその欠陥や欠落によって起こる誘導のほうが現実的である。ＡＩは相関を見つけ出すことは得意だが、因果関係の特定ではまったく頼りにならない。学習によって獲得した知見の応用も苦手である。ペンギンの識別を学んだ画像認識システムに、「ペンギンがわかるなら、カンガルーもすぐに見分けられるようになるだろ?」と言っても無益だ。カンガルーを見分けさせたいなら、最初から学び直しである。

そして、同一のニューラルネットワークにペンギンも、カンガルーも、コハクチョウも……と覚えさせていくと、最初のほうに学んだことを忘れてしまう（識別できなくなる）ことがある。破滅的忘却といって、今後解決しなければならない課題の一つである。

このようにまだまだ発展途上の技術であるから、ＡＩによる判定は油断がならない。しかし、それは急速に修正されており、また修正が可能なものである。ＡＩが誤ったデータから習得してしまう偏見など、人間が持つ偏見に比べれば可愛いものだ。ＡＩの偏見はそれに気づけば学び直すこと、修正することができる。だが、人間が持つ偏見を同じように是正していくのは並大抵のことではない。

そして、人間が取る行動で最も危惧しなければならないのは、意図的な誘導である。人間自身が行うことも、しくみに精通した人間がＡＩを操作して行うこともできる。善意や悪意は問わない。善意によってＡＩの重み付けが変更になり、いままで自分が行っていた発注より、少しビーガンな食べ物が食卓に並ぶようになったり、長い差別の歴史を繰り返さないように、ややリベラルな蔵書ばかりが図書館に配架されることになったりするのと、悪意によって投資が特定の企業群にだけ集中するのとは、コントロールされている点において等価である。

不公平を生む企業

ＡＩは絶対ではない。むしろ、ＡＩは稼働しつつデータを取り込み自らを書き換えることによって進化していくシステムであるから、データの与え方によってはＡＩを騙すことが可能である。ＡＩりんなの事例を思い出してみて欲しい。

敵対的学習などにより、ＡＩを騙すための方法論が確立されると、その方法論を知り、使いこなせる人だけが不当に得をしたり、害を逃れたりできるようになる。それは不公平であり、ＡＩに任せた意味の一つが失われる。

ＡＩの開発には莫大かつ高度な資源が必要であるため、巨大ＩＴ企業や最先端のベンチャーに成果が集中する。私の実家は零細の町工場だったが、そのような会社が巨大なＡＩシステムの一翼を担うことは決してない。地場産業がロケットの重要なパーツを作っているといった話は、いま以上に少なくなる。

寡占が進めば、寡占した企業によりコントロールが行われるのは、歴史が繰り返してきた様式美のようなものである。先にも述べたように、それが善意であるか悪意であるかは、コントロールされている側にとってはあまり意味を持たない。

ＡＩが自己生成を行うことが遠い将来の課題である以上、ＡＩの作り手の恣意性は常に問題になる。AI自体はフラットに稼働しているつもりでも、出発点でバイアスがかかっていたら、歪んだ結果しかもたらさない。

巨大IT企業は、いまでさえ国家を凌駕するほどの力を持っている。たとえば、構造的に情報流通の安全性を担保しにくいインターネットにおいて、暗号化通信を普及させることは喫緊の課題だった。日本の総務省はそれを実現するために、各種のガイドラインを制定し、注意を喚起してきたが、普及の伸びは鈍かった。暗号化通信は平文のそれと比べて時間もかかり、機器への負荷も大きいからだ。

しかし、Googleはこれをあっという間に塗り替えた。主力アプリケーションであるChromeを使って平文通信でWebサイトを見ようとすると、アドレスバーに「保護されていない通信」と赤書き[*5-22]されるようにしたのだ。このインパクトは絶大だった。

［*5-22］Webの通信規約（http）はクリアテキスト（平文）通信を行うよう定めている。しかし、インターネットのインフラ化に伴いパスワードや個人情報を送信する機会が増えると、安全性に問題が生じた。そのため、暗号化通信を行うhttpsが追加実装されたが、当初は機微情報を送るときのみ暗号化することがほとんどだった。2010年代中盤から、どんなページのやり取りも暗号化する常時暗号化の機運が高まる。それを後押ししたのが各ブラウザベンダの施策で、平文で通信していると、ブラウザのアドレス欄が赤く染まったり、「保護されていない通信」などと表示されるようになった。

それまではWebページを見るための通信は基本的に平文で、パスワードなどをやり取りするときに暗号化通信に切り替えるのが一般的な手順だった。速度と安全に配慮した結果である。

それが雪崩を打ったように、多くの企業がすべてを暗号化する方向へ舵を切った。世界のブラウザ市場で最大のシェアを誇るChromeで赤書きされたら、たまったものではないからだ。屈辱だったのは総務省で、注意喚起をする立場だったのに自らのWebページが「保護されていない通信」に分類される羽目になった（現在では解消されている）。

こうした力を持つ巨大IT企業が、その支配戦略にAIを組み込めば、終身独裁官的な力を手にすることになるだろう。怖いのはこの組み合わせである。AIがAI単体であるうちは、その影響力や支配力はまだたかが知れている。微笑ましいと許容してもいい。AIに権限や権力が少しずつ委譲され、権力の非人称化が進んだとして、そこまでは許容できると思う。

しかし、遍在するAIの一つひとつがある意図のもとにデザインされ、ある目的のもとに統一された挙動を示すならば、それは人類史上例を見ない全地球的全展望的な監視誘導機構に育つだろう。その目的が、たとえ世界をより良いものへと導くことにあったとしても、ほのかな嫌悪感と無縁ではいられない。

警戒すべきは、常に人間である。

法律や経済を学ぶ理由

だからこそ、ＡＩの思考が今後どんなに人間に優越することになっても、私たちは考えることをやめてはいけない。

世界はますます情報システムとの親和性を増し、メカニカルタークの例で見たように、人間はシステムの一部になっていくだろう。それ自体はいいのである。たとえば、法律を切り口に世界を見渡せば、人間は法治システムの駒の一つでしかないし、経済の切り口で見てもそうである。

人はいつもシステムの部品だった。人が社会的な生き物である以上、それはいつだってついて回る。システムとして併置される要素がＡＩやセンサーになるだけで、本質にあまり変わりはない。

しかし、部品だからといって全体について疑問を持つことや、考えることをやめる必要はない。法律のシステムは非人間的だが、人に比類ないメリットをもたらしもする。多くの人が許せず、システムの価値そのものを貶めるのは、法律に詳しい人がその抜け道をついて自分だけ罪を逃れたり、無実の人に罪を着せたりすることであり、経済に詳しい人がルールとしくみの外側で暴利を貪ることである。

だから私たちは学校で法律や経済を学ぶ。考えることをやめないために、そのしくみに精通した人だけが得をしたり、人を操ったりしないように、システムをより良いものへ改善できるように。

面倒でも、気の乗らない仕事でも、私たちはＡＩについて学び、関わることを絶ってはいけない。多くの人が法律や経済に無頓着で、知らないがゆえに不利益を被っていてもあまり気にしないように、ＡＩやセンサーネットワークに管理され、誘導されても、その事実を視野に入れないかもしれない。

でも、ＡＩやセンサーネットのシステムは、その特性ゆえにますます大きく、少人数で動かすことが可能になっている。たとえば、６Ｇなどのこれから登場するテクノロジーは、そのサービス範囲として明確に宇宙を謳っている。地球上のどこへ行っても、宇宙に出てさえ、ＡＩとそのネットワークから逃れる術はないのだ。

私は、人に生まれた責任として、社会システムに関わることをやめてはいけないと考えている。政治や法律や経済がそうであったように、これからはＡＩがそこに加わるのである。人が関わることをやめたシステムは暴走し、人にも社会にも害をなす。

そのため、ＡＩの作り手を牽制するプロセスを考えなければならないし、ＡＩの判断に介入できるプロセスも考えなければならない。ＡＩに安全弁をつけることは大事だし、かつ難しい仕事である。ＡＩがどう判断しているかを可視化するプロセスは、途方もなく面倒くさいが必要なことだ。

眼鏡を手放せるか

意思決定の外部化がある程度進むのは、人の安全のためにも、活動の効率化のためにも、環境を保護するためにも、仕方がない。でもこれらが、知らないところで進行する事態は避けたい。まして、少数の人が描いたグランドデザインに人類の大多数が誘導されるような社会を作ってはいけない。

何度でも繰り返すが、いったん外部化してしまった機能を、もう一度取り戻すことは至難である。一度かけてしまった眼鏡を手放せるだろうか。一度記録してしまった電話帳を捨てられるだろうか。交通機関を使うことをやめ、歩いて出社することができるだろうか。人間本来の機能を使わなくなり、さらに退化してしまうかもしれないから、自然ではないから、明日からやめようと、生活を改められるだろうか。一度知り、体験して、生活に組み込んでしまった便利さは捨てられないのだ。だから厄介でも煩雑でも、AIやそれを作る企業について詳しく知り、意見を形成し、それを述べなければならないのだ。

家庭や仕事にAIが入ってくるときは、それが何を出力し、自分にどう影響を与えるのかじっくり評価しよう。AIが提案した選択肢を一度は疑ってみよう。

AIが勧めてくれた会社にそのまま入るのではなく、その会社の人に会ってみよう、足を運んでみよう。選び直しがきかない選択、譲れない決定は、それがどんなに面倒くさくても、AIのほうが上手にこなせそうでも、やっぱり自分で決めなくちゃいけないんだと思う。

私は、テクノロジーは人の選択肢を狭めるものではなく、広げるものであってほしいと思う。皆がテクノロジーに習熟し、そのあり様を考え、どんな未来を招くかを語ることができれば、失敗が許される社会も、真に多様性を認める社会も、環境が保護される社会も、私たちはＡＩを使いこなしながら、作っていくことができるだろう。
考えることをやめないかぎり、未来はまだ開かれている。

あとがき

トロッコが好きです。

といっても、暇さえあれば嵯峨野のトロッコ電車に乗りに行くとか、いつか釧路湿原のノロッコ号を写真に収めるのを夢見て日常業務に耐えているとか、そういうわけではありません。トロッコ問題のほうです。

なんというか、語感がかわいいじゃないですか、「とろっこもんだい」。こむずかしい思考実験なのに。同じ理由で、「哲学者の食卓」や「双子の地球」も大好きです。議論の内容はけっこうえぐいですが。

私は、「入門者で、かつあんまり興味がない人に、情報技術をなんとか教える」ことを研究テーマの一つにしているので、調査や実験のためにお子さんたちに何かを教えにでかける機会が多いです。

そのとき、アイスブレイクにこの「トロッコ問題」を使うと、みんなけっこう喜んで一緒に色々考えてくれます。

よく、日本の子どもは覇気がないとか独創性がないとか言われ、私も本書の冒頭でそんな書きっぷりをしていますが、たとえばプログラミング教室に参加しようなどと企てる幼稚園や小学校のお子さんたちは、ぷりぷりして活きのいい元気なそら豆みたいに、とても積極的にたくさんの解決策をひねり出します。


「5人も人がいて、トロッコに気がつかないなんておかしい」

――うん、そうなんだけどね。気がつかない体でお願いしますよ。

「どいてーーーーって言って、教えてあげなくちゃ」

――えーと。それは間に合わないことになってるんだ。

「線路の上に石をおけば、トロッコを止められるよ」

――切り替え器を操作すること以外は、できないことになってて。

「切り替え器を中途半端な状態にしたら、どっちの線路にも行けなくなって止まるよ！」

――中途半端にはできないんだよね。

「その場にいたら、何とかするんじゃない？　こういうの、机上の空論って言うんでしょ」

――『思考実験』って言ってよ！

とってもいい感じです。

他愛ない、天衣無縫な子どもの考えに見えても、この発想や思考こそが人間の価値を高らしめているのだと思います。

ＡＩは与えられた条件の中で網羅的な判断を行うのが得意ですが、前提を疑うことはしません。将棋で、「時の名人も思いつかなかった手をＡＩが指した」などと報道されることがありますが、それは人間の網羅力が足りないことを示しているだけです。

あくまで将棋のルールの枠内で、指せる手を虱潰しにしているのであって、「いまクイーンがあれば詰むのにな。お隣でチェスをやっているから、その盤面からちょっとクイーンを借りてこよう」などとは提案してきません。

でも、人の進歩って、「プレイしているのは将棋だけど、魔が差したようにチェスピースを盤面に打ち付けてしまう」ような行いから生じるものも多いです。世で褒めそやされる破壊的イノベーションなどは、お行儀のよいフレーム内の思考からは導けないものばかりです。

制約にとらわれない子どもたちの思考に触れると、人はまだ飛躍も跳躍もできると感じます。彼らも、思春期から青年期へ人生のステージが進んでいくと、いつしか大人くさい分別を身に付けます。分別は社会のなかでうまくやっていくのに必要ですが、分別だけならそれこそＡＩにでも社会を回させておけば十分でしょう。

人が楽しく、可能性に満ちた生を生き続けるには、奔放な思考の芽を摘まずに、大切にしまっておける環境が必要なのだと思います。そして、その環境を整える責任は、私たち大人が負うべきものです。

社会のしくみが洗練、高度化されて快適な生活が遍く行き渡ると、失敗が許容されにくくなります。これは人類史を見渡しても、つい最近起こったことです。物事などというものは、うまく行かないのが当たり前だったのに、最近はそうでもないのです。電車は正確に駅間をつなぎ、水は途切れることなく供給され、オーダーした食べものは忘れられることなく配膳されます。

快適や成功が標準仕様なら、失敗が珍しくなりますし、珍しいものは疎まれます。私たちは気がつけば、幼児や乳児にすら泣かないことや騒がないことを要求してしまう妥協のなさを獲得していました。

であれば、子どもを評価する尺度は減点法になりますし、子どもたちはそれに適応して失敗しない人生を目指します。主体性がない、消極的だと意見しても仕方がありません。それが最適解だと彼らが判断する社会をつくったのは私たちなのですから。何を言っても、ブーメランになって返って来ます。

シンギュラリティの議論が活発になっていますが、むしろＡＩではなく、私たち自身が、ゆっくり真綿で自分たちの首を締め上げている最中なのかと思います。

それを受け入れながら生きていくのも一つの手ではありますが、少なくとも子どもたちにはどういう生き方をするか選ぶ選択肢を、学生には減点法以外の評価基準を遺していきたいと考えています。

本書内でも繰り返してきましたが、技術で禄を食んできた人間の端くれとして、技術は人間の可能性や選択肢を狭めるものではなく、拡げるものであり続けて欲しいと願っています。

末筆ですが、拙い原稿を書籍の形にまとめていただいた日経ＢＰ社の栗野俊太郎さまに厚く御礼申し上げます。栗野様のご協力なしに、この本が完成することはありませんでした。読者の皆さまに深謝申し上げ、結びとさせていただきます。

各扉文の出典

第1章　エーリッヒ・フロム『正気の社会』社会思想社、1958年、401ページ

第2章　カレル・チャペック『ロボット（R.U.R.）』岩波文庫、1989年、50ページ

第3章　伊藤計劃『ハーモニー〔新版〕』ハヤカワ文庫、2014年、272ページ

第4章　ジル・ドゥルーズ『スピノザ 実践の哲学』平凡社、2002年、23ページ

第5章　サン＝テグジュペリ『人間の土地』新潮文庫、1998年、57ページ

岡嶋裕史（おかじま・ゆうし）

中央大学国際情報学部教授
1972年東京都生まれ。
中央大学大学院総合政策研究科博士後期課程修了。博士（総合政策）。
富士総合研究所、関東学院大学経済学部准教授、関東学院大学情報科学センター所長を経て現職。専門は情報ネットワーク、情報セキュリティ。『いまさら聞けないITの常識』(日経文庫)、『プログラミング教育はいらない GAFAで求められる力とは?』（光文社新書）、『5G 大容量・低遅延・多接続のしくみ』『ブロックチェーン 相互不信が実現する新しいセキュリティ』（以上、講談社ブルーバックス）ほか、NHKテキスト、資格試験対策書など著作多数。

思考からの逃走

2021年2月19日　1版1刷

著　者	岡嶋裕史
発行者	白石　賢
発　行	日経BP 日本経済新聞出版本部
発　売	日経BPマーケティング 〒105-8308　東京都港区虎ノ門4-3-12
装　幀	夏来　怜
DTP	マーリンクレイン
印刷・製本	三松堂

ISBN 978-4-532-17697-6

©Yushi Okajima, 2021

本書の無断複写・複製（コピー等）は著作権法上の例外を除き、禁じられています。

購入者以外の第三者による電子データ化および電子書籍化は、私的使用を含め一切認められておりません。

本書籍に関するお問い合わせ、ご連絡は下記にて承ります。

https://nkbp.jp/booksQA

Printed in Japan